hommes et montagnes

Du même auteur:
Encordé avec des ombres
La dernière course
La face voilée
Les éclats du silence
Les esprits de l'eau et des montagnes

Dans la même collection:
Bernard Amy, *Le meilleur grimpeur du monde*
Bernard Amy, *Le voyage à la cime*
Conrad Anker et David Roberts, *Mallory et Irvine, à la recherche des fantômes de l'Everest*
Jean-Michel Asselin, *Chroniques himalayennes*
Jean-Michel Asselin, *Les parois du destin*
Jean-Michel Asselin, *Nil, sauve-toi !*
Yves Ballu, *Les alpinistes*
Yves Ballu, *Naufrage au mont Blanc*
Marc Batard, *La sortie des cimes*
Patrick Berhault, *Encordé mais libre*
Odette Bernezat, *Hommes des montagnes du Hoggar*
Odette Bernezat, *Hommes et vallées du Haut-Atlas*
Danielle et Jean Bourgeois, *Les Voies abruptes*
W.E. Bowman, *À l'assaut du Khili-Khili*
Roger Canac et Bernard Boyer, *Vivre ici en Oisans*
Roger Canac, *Des cristaux et des hommes*
Roger Canac, *Réganel ou la montagne à vaches*
Roger Canac, *Paysan sans terre*
Marie Chalon, *L'arène blanche*
Roland Chincholle, *Au tréfonds des veines*
David Harris, *Des prises sous la neige*
Maurice Herzog, *Les grandes aventures de l'Himalaya,* tome 1 (Annapurna, Nanga Parbat, K2)
Maurice Herzog, *Les grandes aventures de l'Himalaya,* tome 2 (Everest, Cho Oyu, Dhaulagiri, Ogre)
Sir Edmund Hillary, *Un regard depuis le sommet*
Jean-Marie Jeudy, *Contes et nouvelles de l'envers*
Jean-Claude Legros, *Shimshal, par-delà les montagnes*
Charles Maly, *Peau de chamois*
Bruno Messerli et J.D. Ives, *Les montagnes dans le monde*
Reinhold Messner, *Yeti, du mythe à la réalité*
Damien Mignot et Dominique Vérot, *L'Échappée belle*
Passages, Anthologie des cahiers de l'alpinisme
Angélique Prick, *Vice et versant*
Françoise Rey, *Crash au Mont-Blanc*
Françoise Rey, *Ötzi, la momie des glaciers*
Samivel et S. Norande, *Les grands passages des Alpes*
Samivel et S. Norande, *La grande ronde autour du Mont-Blanc*
Anne Sauvy, *Nadir*
Henri Sigayret, *Journal d'un sahib au Népal*
Judy et Tashi Tenzing, *Tenzing et les Sherpas de l'Everest*
David Torres Ruiz, *Nanga Parbat*
Robert Vivian et Luc Moreau, *Dans le secret des glaciers du Mont-Blanc*

La Mort suspendue

BP 177 - 38008 Grenoble Cedex

ISBN 978.2.7234.4579.5
Dépôt légal : janvier 2004
Imprimé en France

Récit

La Mort suspendue

Joe Simpson

Traduit de l'anglais
par Dominique Vulliamy

Glénat

Tous les hommes rêvent : mais tous ne sont pas égaux
dans leurs rêves. Ceux qui rêvent la nuit dans les recoins
poussiéreux de leur esprit s'éveillent en découvrant que
leurs rêves n'étaient que pure vanité : mais ceux qui rêvent
le jour sont des hommes dangereux, car ils peuvent vivre
leurs rêves les yeux ouverts, ils peuvent les réaliser.

T.E. Lawrence

Les sept piliers de la sagesse

Préface par Chris Bonington

J'ai fait la connaissance de Joe pendant l'hiver 1987 à Chamonix. Comme beaucoup d'autres grimpeurs avant lui, il avait décidé de se mettre au ski, en autodidacte bien évidemment. J'avais entendu – et lu – pas mal de choses sur lui ; on disait qu'il avait parfois frisé la catastrophe en montagne, et en particulier qu'il venait de s'en sortir de justesse au Pérou. Mais tous ces récits ne m'avaient pas spécialement impressionné.

Assis à côté de lui dans un bistrot chamoniard, je trouvais que le personnage cadrait mal avec sa réputation. Il avait des cheveux bruns, vaguement coiffés à la punk, et un abord plutôt « rugueux ». J'avais du mal à suivre son cheminement personnel ; comment était-il passé des rues de Sheffield à la montagne ? Et puis cette rencontre s'effaça de ma mémoire, du moins jusqu'à ce que le manuscrit de *La Mort suspendue* me tombe entre les mains. Il y avait d'abord l'histoire, l'un des plus incroyables récits de survie qu'il m'eût été donné de lire, mais je fus surtout séduit par le style, une écriture dense et poignante, alliant l'intensité dramatique à une profonde sensibilité. Il était capable de traduire la peur comme la souffrance, ainsi que toute une gamme d'émotions, les siennes aussi bien que celles de son compagnon, Simon Yates.

Pour donner une idée du combat que Joe a dû mener, je ne peux que le comparer à ce que j'ai moi-même vécu à l'Ogre dans l'Himalaya, en 1977, lorsque Doug Scott tomba au cours d'un rappel et se brisa les deux jambes. Nous aussi, nous étions complètement isolés, tout près du sommet, sur une montagne particulièrement inhospitalière. Mais la comparaison s'arrête là. Car dans notre cas, deux autres membres de l'équipe nous attendaient dans une grotte de neige, un peu plus bas. Pris dans la tempête, nous avons mis six jours – dont cinq sans nourriture – pour rallier le camp de base. Pendant la descente, j'ai glissé à mon tour et je me suis brisé des côtes. Ce fut sans aucun doute l'épisode le plus dramatique de toute ma carrière d'alpiniste, et pourtant, à côté du calvaire vécu par Joe, notre aventure à l'Ogre fait bien pâle figure.

Une odyssée assez semblable s'était déroulée en 1957 dans le Karakoram, alors qu'une équipe de l'Université d'Oxford tentait la première ascension du Haramosh, un sommet de plus de sept mille mètres. Ils avaient décidé de rebrousser chemin ; mais deux membres de la cordée, Bernard Jillot et John Émery, décidèrent de pousser un peu plus loin sur l'arête pour prendre quelques photos. Ils furent alors pris dans une plaque à vent. Ils survécurent à l'avalanche, et leurs compagnons de cordée s'élancèrent à leur secours. Il s'ensuivit une invraisemblable épopée, dont seulement deux d'entre eux sortirent vivants.

Leur histoire aussi est fertile en émotions et riche en rebondissements. Mais elle a été racontée par un professionnel de l'écriture, non par les acteurs eux-mêmes, aussi le récit manque-t-il de l'intensité et de la vérité qui font la force du livre de Joe Simpson. Car il s'agit là d'une des plus incroyables histoires de survie que j'aie jamais entendues. Elle est surtout magistralement racontée, dans un style superbe et émouvant. En un mot, ce livre mérite de devenir un classique du genre.

À Simon Yates pour une dette dont je ne pourrai jamais m'acquitter et à tous ces amis qui sont partis en montagne et ne sont jamais revenus.

Le camp sous les lacs

La pâle lueur de l'aube, tamisée par la toile rouge et verte, commençait doucement à éclairer la tente. Pelotonné dans mon sac de couchage, je regardais les parois arrondies émerger lentement de l'ombre. À côté de moi Simon ronflait bruyamment, s'agitant parfois au rythme de son rêve. La scène aurait pu se passer n'importe où. Une tente est un décor neutre, un univers clos qui vous isole du reste du monde. Écosse, Alpes, Karakoram, peu importe ; une fois la fermeture à glissière tirée, où que l'on se trouve, les mêmes sensations familières vous assaillent, aussi rassurantes que la tiédeur d'un bon duvet – bruissements confus, crépitement d'une averse ou toile qui claque au vent, aspérités du terrain sous le tapis de sol, odeur âcre de la sueur et des chaussettes sales.

Dehors, l'aurore cédait au matin et les premiers rayons du soleil devaient déjà enflammer les sommets. Un condor planait peut-être au-dessus de la tente, au gré des courants ascendants – j'en avais bien aperçu un la veille qui tournoyait lentement dans les airs, juste à l'aplomb du camp.

Nous nous trouvions au fin fond de la cordillère de Huayhuash, en plein cœur des Andes péruviennes.

Le village le plus proche se situait à une quarantaine de kilomètres, par des chemins rocailleux. Autour de nous s'élevait le plus formidable cirque de parois glaciaires que j'aie jamais vu, une présence que seul trahissait, pour l'instant, le grondement régulier des avalanches déferlant sur les parois du Cerro Sarapo.

Envahi par la douce quiétude de la tente, je m'extirpai à regret de mon sac de couchage. La perspective de devoir allumer le réchaud n'avait rien d'enthousiasmant. Il avait un peu neigé pendant la nuit, et l'herbe crissait sous mes pas tandis que je me dirigeais vers le rocher qui abritait notre cuisine. Aucun mouvement n'agitait la minuscule tente de Richard, tout affaissée et blanche de givre. Accroupi à l'abri du gros bloc surplombant, je savourais cet instant de parfaite solitude tout en manipulant le réchaud récalcitrant. Il manifestait une muette réprobation à l'encontre du froid et de l'essence de qualité douteuse qu'il avait ingurgitée. En désespoir de cause, je finis par recourir à la manière forte et le posai sur un réchaud au propane tous feux ouverts. Le traitement lui fit reprendre vie, et il se mit à cracher d'énormes flammes en guise de protestation.

En attendant que l'eau chauffe, je m'absorbai une fois de plus dans la contemplation du paysage. Au premier plan s'étendait le vaste lit d'une rivière à sec, encombrée de rochers, dont l'énorme bloc sous lequel je me tenais. Dominant tous les autres, il permettait de se repérer de loin, sauf peut-être dans la tourmente. À environ deux kilomètres, juste en face du camp, une gigantesque muraille de glace et de neige, presque verticale, s'élançait d'une seule traite jusqu'au sommet du Cerro Sarapo. À gauche, le Yerupaja et le

Rasac, deux fabuleuses pièces montées toutes blanches, dominaient un véritable océan de moraines. Un peu plus loin, cachée par le Sarapo, s'élevait une majestueuse montagne de 6356 mètres, le Siula Grande. C'est en 1936 que deux Allemands intrépides en avaient réussi la première ascension, par l'arête nord. Le Siula Grande avait été rarement gravi depuis, et le véritable enjeu, son impressionnante face ouest haute de 1400 mètres, avait jusque-là repoussé toutes les tentatives.

Je me retournai vers le réchaud et versai avec précaution l'eau bouillante dans trois grandes tasses. Le soleil n'avait pas encore surgi de derrière les crêtes, et au fond de cette cuvette plongée dans l'ombre régnait un froid vif.

J'annonçai à la cantonade :

– Si vous n'êtes pas tous morts là-dedans, vous pouvez venir boire quelque chose de chaud ! Et je secouai vigoureusement la tente de Richard pour faire tomber le givre. Je le vis s'en extraire péniblement, avec des gestes engourdis, et se diriger sans un mot vers les rochers, un rouleau de papier à la main.

À son retour je lui demandai :

– Ça ne va toujours pas mieux ?

– C'est pas encore la grande forme, mais je pense que le pire est passé. Il a fait vachement froid cette nuit.

Je me demandai en mon for intérieur si l'altitude n'était pas plus responsable de ses ennuis que le ragoût de haricots. Après tout, nous étions à plus de 4500 mètres, et Richard n'avait rien d'un montagnard.

Avec Simon, nous l'avions rencontré dans un hôtel sordide de Lima, où il s'accordait quelques jours de repos avant de poursuivre un voyage d'exploration de plusieurs mois en Amérique du Sud. Il portait des lunettes cerclées de fer, s'habillait bien et faisait preuve de pragmatisme, une attitude qui dissimulait un humour décapant. Il avait aussi à son actif un vaste répertoire d'histoires insolites, glanées au cours de ses vagabondages. Il avait traversé en pirogue les forêts vierges du Zaïre et vécu au milieu des Pygmées, se nourrissant de larves et de baies ; il avait vu un voleur se faire lyncher par la foule sur le marché de Nairobi. En Ouganda, pour une sombre histoire d'échange de cassettes, son compagnon de voyage s'était fait descendre par des soldats un peu trop susceptibles...

Il entrecoupait ses errances de périodes de travail intensif pour se remettre en fonds, puis il repartait, seul de préférence, car il aimait se trouver entraîné au gré des rencontres de hasard. Nous avions pensé qu'il serait bon d'avoir au camp de base un compagnon distrayant qui, en outre, pourrait surveiller le matériel pendant notre ascension. Nous faisions sans doute preuve d'injustice envers les pauvres paysans de ce coin perdu, mais nous avions appris à nous méfier de tout le monde dans les bas quartiers de Lima. Toujours est-il que nous avions proposé à Richard de se joindre à nous ; il pourrait ainsi voir les Andes de plus près.

Un vieil autobus délabré, prévu pour vingt-deux personnes mais où s'entassaient quarante-six passagers, nous avait bringuebalés sur plus de cent kilomètres, le long de vallées encaissées. Histoire de nous rassurer, la route était jalonnée de petites chapelles funéraires à la mémoire des conducteurs défunts et de leurs passagers. Le moteur était rafistolé avec des ficelles, et l'on dut se servir d'une pioche pour changer les pneus ! Lorsqu'il nous avait enfin déposés, deux bonnes journées de marche nous attendaient encore.

À la fin du deuxième jour, alors que nous approchions du fond de la vallée, Richard se sentit affecté par l'altitude. Comme le jour tombait, il nous dit de partir en avant avec les ânes pour que nous puissions préparer le camp avant la nuit ; il nous suivrait à son rythme, et de toute façon il ne risquait rien puisqu'il suffisait d'aller tout droit.

Il progressa péniblement à travers des moraines pleines d'embûches jusqu'au lac où il pensait que nous avions installé le camp. Puis il réalisa qu'il avait vu sur la carte un second lac. Entre-temps, la pluie s'était mise à tomber et la température à descendre. Vêtu seulement d'une chemisette et d'un pantalon léger, il était bien mal protégé contre les nuits glaciales des Andes. Épuisé, il avait finalement décidé de redescendre dans la vallée, où il avait remarqué en montant de vieilles baraques en pierres recouvertes de tôles rouillées. Il pensait qu'elles étaient probablement abandonnées, mais qu'il pourrait au moins s'y abriter pour la nuit. Aussi fut-il très surpris d'y trouver deux jeunes filles et une joyeuse bande d'enfants.

Après d'interminables palabres, il obtint de coucher à côté, dans la porcherie. Les jeunes filles lui donnèrent même quelques pommes de terre bouillies, un peu de fromage, et lui jetèrent un paquet de peaux de moutons mangées aux mites. Il passa une longue nuit glaciale tandis que la vermine s'en donnait à cœur joie...

Simon nous rejoignit sous le rocher et se mit à nous raconter ses rêves avec un grand luxe de détails. Il était convaincu que ces étranges hallucinations nocturnes étaient dues aux pilules qu'il prenait pour dormir. Il faudrait que je les essaie un jour.

J'avalai les dernières gouttes de café tandis que

Simon prenait en main la préparation du petit déjeuner. J'ouvris mon journal et j'écrivis :

« 19 mai 1985. Camp de base. Forte gelée la nuit dernière, ciel clair ce matin. J'essaie de m'habituer à cet endroit, à cet isolement, aussi angoissant qu'exaltant ; tout est tellement plus excitant que dans les Alpes – on ne trouve ni hordes de grimpeurs, ni hélicoptères, ni équipes de secours –, il y a les montagnes, et puis nous... La vie paraît nettement plus simple et authentique. On peut se laisser envahir par les événements et les émotions sans avoir besoin de s'arrêter pour regarder... »

Jusqu'à quel point est-ce que je croyais vraiment à ce que j'écrivais, et puis, quel rapport avec ce que nous étions venus faire dans les Andes ? Demain nous entamerions notre programme d'acclimatation, avec tout d'abord l'ascension du Rosario Norte. Et si tout allait bien, d'ici une dizaine de jours nous nous attaquerions à la face ouest du Siula Grande.

Simon me tendit un bol de porridge et une autre tasse de café.

– Alors, on y va demain ?

– Ça serait aussi bien. On ne doit pas en avoir pour longtemps si on ne se charge pas trop. On peut être de retour en début d'après-midi.

– Par contre, le temps ne me dit rien qui vaille. Je ne sais vraiment pas à quoi m'en tenir.

La même situation se répétait chaque jour depuis notre arrivée. Si les matinées étaient belles, dès le milieu de la journée des bandes de cumulus apparaissaient à l'est, déversant régulièrement leurs averses sur nous. En montagne, ces perturbations se traduisaient par d'abondantes chutes de neige ; les dangers d'avalanches et le risque de nous retrouver bloqués en altitude devenaient très sérieux. Dans les Alpes, devant des nuages aussi menaçants, on envisage immédiatement la retraite. Cependant, ici, le temps semblait évoluer différemment.

– Tu sais, je n'ai pas l'impression que c'est aussi mauvais que ça en a l'air, dit Simon d'un air pensif. Regarde hier, par exemple. Le ciel s'est couvert et il a neigé, mais la température n'est pas tombée très bas, il n'y a eu ni éclairs ni tonnerre, et on n'avait pas non plus l'impression que des vents très violents soufflaient sur les sommets. Je ne pense pas qu'il s'agisse à proprement parler d'orages.

Simon avait peut-être raison ; pourtant quelque chose me troublait.

– Autrement dit, tu suggères qu'une simple chute de neige ne devrait pas nous empêcher de grimper ? Mais comment ferons-nous alors la différence entre ces petites chutes de neige quotidiennes et une véritable tempête ?

– Évidemment, c'est un risque à prendre. Il faudra voir comment les choses tournent. De toute façon, ce n'est pas en restant ici qu'on en apprendra plus.

– Bien sûr, n'empêche qu'il faudra quand même rester prudents, à cause des avalanches.

Simon se mit à rire.

– Évidemment, je te comprends... Quoique... Finalement, tu as bien survécu à la dernière ! Je pense qu'on devrait trouver des conditions similaires à celles d'une hivernale dans les Alpes, c'est-à-dire de la poudreuse mais pas de grosses avalanches de neige lourde. Enfin, nous verrons bien...

J'enviais l'insouciance de Simon. Il faisait preuve d'une grande force de caractère en prenant les choses comme elles venaient et savait accepter sans broncher les situations qui se présentaient à lui. D'ailleurs il riait plus souvent qu'il ne faisait grise mine, se moquant aussi facilement de ses propres mésaventures que de celles des autres. Grand et bien bâti, il était plutôt avantagé par la vie. C'était un compagnon agréable sur qui on pouvait compter, sincère, et toujours enclin à considérer le bon côté des choses. Une crinière blonde, des yeux bleus rieurs, et cette petite pointe de folie qui fait tout le charme de certaines personnes. J'étais heureux que nous ayons décidé de venir ici tous les deux, car j'aurais difficilement supporté quelqu'un d'autre aussi longtemps. Simon représentait tout ce que je n'étais pas, tout ce que j'aurais aimé être.

– Vers quelle heure pensez-vous être de retour? demanda Richard d'une voix ensommeillée depuis son sac de couchage tandis que nous faisions les préparatifs de notre départ matinal.

– Au plus tard vers trois heures de l'après-midi. On n'a pas l'intention de traîner, à plus forte raison si le temps change de nouveau.

– O.K. Bonne chance.

La gelée du petit matin avait durci le sol et nous progressions plus facilement que prévu; nous zigzaguions d'un pas rapide à travers les éboulis, et les tentes rapetissaient à vue d'œil. Je me sentais plus en forme que je ne l'aurais cru, et l'exercice me procurait un réel plaisir. Malgré l'altitude, nous marchions tous deux à bonne allure. Si j'avais craint un instant qu'une différence de rythme puisse créer des tensions dans notre cordée, comme c'est parfois le cas, je m'étais inquiété à tort.

– Ça va ? J'avais fait halte pour souffler un peu.

– Pas mal, c'est une bonne chose que nous ayons arrêté de fumer !

Il avait raison. Dieu sait pourtant si j'avais protesté, au début, quand Simon avait proposé de ne pas amener de cigarettes au camp de base. Dans cet air froid et raréfié, les poumons travaillent à plein régime. J'étais un gros fumeur, mais cela ne m'avait jamais gêné pour grimper, du moins dans les Alpes. Pourtant, je ne pouvais qu'approuver cette décision dans ce cas précis. J'avais beaucoup souffert du manque de tabac au début, mais en me remémorant tous les récits que j'avais entendus sur les œdèmes pulmonaires et autres malaises dus à l'altitude, l'envie de fumer s'envolait rapidement.

Après quelques heures de marche à travers les éboulis, il nous fallut obliquer vers le nord, en direction d'un col perché au-dessus d'une série d'éperons rocheux délités. Le camp disparut bientôt de notre vue, et je me sentis immédiatement plongé dans un monde de silence et de solitude. Pour la première fois de ma vie je faisais l'expérience d'un isolement total, et j'étais envahi par un profond sentiment de sérénité, une merveilleuse sensation de liberté – pouvoir faire ce que je voulais, quand je le voulais, comme je le voulais. Cette soudaine révélation me fit l'effet d'un stimulant. Je voyais les choses sous un jour nouveau. Nous étions totalement autonomes et n'avions de responsabilités qu'envers nous-mêmes ; personne n'interviendrait, personne non plus ne viendrait à notre secours...

Simon grimpait tranquillement devant moi, gagnant peu à peu du terrain. Je marchais de façon plus désordonnée et il m'avait distancé, mais cela ne m'inquiétait pas outre mesure. Nous formions une bonne équipe. Rien ne nous pressait et cette montagne ne posait manifestement pas de problème majeur. Je m'accordais une halte de temps à autre pour admirer le paysage.

Les couloirs que nous empruntions étaient instables et les pierres roulaient facilement sous nos pieds. Alors que je débouchais d'un ressaut de rocher jaunâtre, j'eus l'agréable surprise de voir que Simon, installé au col à une centaine de mètres, faisait chauffer de l'eau.

– Finalement, ce rocher pourri n'était pas si terrible que ça, dis-je en soufflant. Mais je boirais bien quelque chose !

– Tu as vu le Siula Grande, là-bas, à gauche du Sarapo ?

– Fantastique ! J'étais assez impressionné. Il a l'air beaucoup plus grand que sur les photos.

Simon me tendit une tasse fumante. Assis sur mon sac, j'examinai la chaîne qui s'étendait sous nos yeux. À gauche, la face sud du Rasac, une vaste pente de glace entrecoupée de bandes rocheuses qui lui donnaient un aspect marbré. Sur la droite, en contrebas et relié au Rasac par une dangereuse arête en corniche, se dessinait le sommet du Seria Norte. Puis l'arête plongeait vers une selle neigeuse avant de remonter par deux épaulements rocheux jusqu'à la pyramide sommitale du Yerupaja. Dressé majestueusement au-dessus du glacier du Siula, resplendissant de glace et de neige fraîche, le Yerupaja dominait incontestablement le paysage. Sa face sud avait une forme classique, triangulaire. L'arête ouest, rocheuse et ourlée de corniches, s'incurvait depuis le col, sous le Seria Norte, tandis que l'arête est descendait en s'arrondissant vers un autre col. La face était striée de fines cannelures neigeuses, les « ice-flutes », subtilement soulignées par des jeux d'ombre et de lumière. On aurait dit une dentelle gravée à l'eau-forte.

Au bas de l'arête, je reconnaissais le col Santa Rosa, que nous avions vu sur les photos du Siula Grande. Il était situé juste à la jonction de l'arête sud-est du Yerupaja et de l'arête nord du Siula ; cette dernière n'avait pas l'air de présenter de grosses difficultés, du moins au départ. Plus haut, elle se rétrécissait jusqu'à n'être plus qu'une mince dentelure sinueuse, un lacis de cannelures et de corniches posées en équilibre précaire au-dessus de l'immense face ouest. Puis elle venait mourir sur l'énorme champignon de neige qui couronnait le Siula.

Nous convoitions cette face. Mes yeux erraient sur l'immense paroi comme si je la découvrais pour la toute première fois. J'avais pourtant longuement étudié des photos, mais il y avait maintenant une telle différence d'échelle que je mis quelque temps avant de repérer les structures familières.

Comme tous les jours à la même heure, de gros cumulus débordaient l'arête nord. Vers l'est, dans les immenses forêts amazoniennes, le soleil tropical provoquait une intense évaporation. Portées par les vents, ces masses d'air gorgées d'humidité se transformaient en épaisses bandes nuageuses qui déferlaient jusqu'ici.

– Je crois que tu as raison pour le temps, Simon. Il ne s'agit pas tant de tempêtes que d'un phénomène de convection dû à la proximité de la forêt vierge.

– Oui, et qui nous apporte notre petite douche quotidienne.

– Tu penses qu'on a atteint quelle altitude ?

– Environ 5 500 mètres, peut-être un peu plus. Pourquoi ?

– Eh bien, on n'était jamais montés si haut, on s'en est à peine rendu compte !

– Tu sais, quand on dort déjà à l'altitude du mont Blanc, c'est un peu normal, non ? me répondit Simon avec un sourire malicieux.

Les premiers flocons se mirent à tomber alors que nous finissions nos tasses. Le sommet du Rosario restait dégagé, mais cela ne durerait pas. Il ne restait plus que cent vingt mètres environ à gravir, c'est-à-dire à peine une heure d'escalade. Mais, bien que le mot « descente » n'ait pas été prononcé, nous savions implicitement qu'il nous fallait renoncer pour aujourd'hui.

Simon prit son sac et se dirigea vers le couloir d'éboulis où nous avions tant peiné à la montée. Les cinq cents mètres furent vite avalés. Courant, glissant, tombant, nous faisions des essais de slalom dans ces pierriers qui ruisselaient sous nos pieds, en poussant des cris de sauvages. Bientôt nous étions de retour au camp, hors d'haleine et surexcités.

Richard était en train de préparer le souper ; il nous avait aperçus de loin, et du thé chaud nous attendait. Les réchauds ronronnaient agréablement tandis que nous racontions notre ascension en nous coupant mutuellement la parole. Puis la pluie arriva, qui nous obligea à nous réfugier sous la grande tente ronde. Si quelqu'un s'était aventuré dans les parages à la tombée de la nuit, il aurait aperçu une bulle rouge et verte d'où s'échappait un bourdonnement sourd, parfois ponctué d'un éclat de rire homérique quand Richard nous racontait l'épopée désopilante d'une équipe de rugby néo-zélandaise perdue dans la jungle africaine.

Avant de pouvoir jouer aux cartes jusqu'à une heure avancée, il nous fallait planifier nos futures ascensions.

Notre prochain objectif était le Cerro Yantauri dont l'arête sud, encore vierge, s'élevait à un jet de pierre du camp ; d'ailleurs, nous verrions les tentes pendant pratiquement toute l'ascension. Après quelques affleurements rocheux, une longue et élégante corniche de neige venait buter contre une zone de séracs instables qui formaient un rempart crénelé jusqu'au sommet. Nous avions l'intention de bivouaquer vers le haut de l'arête, soit à l'aller, soit au retour, afin de vérifier nos théories sur l'évolution du temps.

La matinée s'annonçait froide et ensoleillée, pourtant le ciel avait un aspect menaçant assez inhabituel ; il valait mieux remettre l'ascension au lendemain. Simon partit prendre un bain et se raser dans une vasque de neige fondue. De mon côté, je décidai d'aller avec Richard rendre visite aux jeunes filles qui habitaient les cabanes dans la vallée. Nous pourrions peut-être leur acheter du lait et du fromage.

Elles nous accueillirent chaleureusement, ravies de nous vendre leurs fromages. Richard engagea la conversation dans un espagnol hésitant. Elles nous apprirent qu'elles s'appelaient Gloria et Norma, et qu'elles venaient ici à la bonne saison faire paître le troupeau de leurs parents. En fait, elles témoignaient d'une certaine insouciance à l'égard des bêtes, alors qu'elles accordaient une extrême attention aux jeunes enfants, qui semblaient parfaitement capables de se débrouiller tout seuls ! Nonchalamment étendus au soleil, nous les regardions travailler. Alecia, une petite bonne femme de trois ans que j'avais surnommée Paddington, gardait l'enclos où était parqué le bétail, pendant que ses frères et sœurs trayaient les vaches, repoussaient les veaux et préparaient le lait caillé dans des sacs en mousseline. Toutes ces tâches s'accomplissaient tranquillement et dans la joie. Avant de prendre le chemin du retour – les nuages s'amoncelant plus tôt que prévu –, il fut entendu que Spinoza, un des frères de Gloria, irait nous chercher, les jours suivants, des provisions au village le plus proche. Après deux semaines d'un régime à base de pâtes et de haricots, la pensée de pouvoir festoyer d'ici peu avec des légumes et des fruits frais, des œufs et du pain, nous faisait saliver par avance...

Le lendemain dès l'aube, nous étions aux prises avec le Yantauri. Les débuts ne furent pas très encourageants : les pentes d'éboulis se révélaient particulièrement dangereuses, très exposées à d'incessantes chutes de pierres qui dévalaient de la face ouest. Il y avait de quoi être nerveux, d'autant plus que nos lourdes charges nous empêchaient d'avancer aussi rapidement que nous l'aurions souhaité. À mi-chemin, Simon réalisa qu'il avait oublié son appareil photo lorsqu'il s'était arrêté, un peu plus tôt. Il posa son sac et s'élança vers le bas, tandis que j'obliquais à droite, vers les premières parois rocheuses où nous serions plus à l'abri.

À six heures du soir, nous avions déjà atteint une bonne altitude mais le temps s'était sérieusement dégradé et de gros nuages noirs arrivaient rapidement sur nous. La nuit tombait, aussi était-il plus prudent de monter notre minuscule tente de bivouac sous un promontoire rocheux. Il neigea toute la nuit, mais la tempête redoutée n'arriva jamais, ce qui semblait confirmer nos théories sur l'évolution de ces perturbations quotidiennes.

Le lendemain, remplis d'espoir, nous nous attaquions aux premières pentes neigeuses de l'arête, sans savoir que nous rencontrerions des conditions qui nous obligeraient finalement à abandonner vers 5 500 mètres.

Une épaisse couche de neige fraîche recouvrait la montagne, et nous devions faire la trace enfoncés jusqu'à la poitrine. Quant aux corniches, elles étaient terriblement menaçantes. Juste sous les séracs sommitaux, je disparus soudain dans une large faille. Malgré la superbe vue plongeante qu'une telle position m'offrait, je décidai de rebrousser chemin et Simon se rangea à mon avis...

La descente dans les pentes rocailleuses croulantes de la face ouest ne fut pas non plus une partie de plaisir, mais au moins avions-nous désormais quelques certitudes concernant le temps. S'il était indéniable que nous allions être confrontés à de véritables tempêtes, il était acquis que nous ne serions pas obligés de battre en retraite à la moindre formation nuageuse.

Après deux jours de repos, nous repartions, à l'attaque cette fois de l'arête sud du Seria Norte. Vue du camp, elle avait belle allure et, à notre connaissance, elle n'avait encore jamais été gravie. Au fur et à mesure que nous nous en approchions, nous comprenions pourquoi... Lorsque Al Rouse nous en avait parlé, chez lui à Sheffield, il l'avait décrite comme

« une arête d'une certaine difficulté ». À bien y regarder, il était évident que la réputation qu'avait Al de tout minimiser n'était pas surfaite ! Après un bivouac glacial et exigu, il nous fallut encore nous battre avec d'énormes quantités de neige fraîche avant de pouvoir atteindre un col haut perché au pied de l'arête. Une incroyable série de corniches jouaient à saute-mouton jusqu'au sommet situé six cents mètres plus haut. Un seul coup de piolet dans la première corniche et toute la masse, en équilibre instable, se serait écroulée sur nous. Nous préférions rire de nos vains efforts – en nous demandant tout de même ce que Richard penserait de ce troisième échec. Mais nous nous sentions en pleine forme, parfaitement acclimatés, et prêts à nous attaquer à notre véritable objectif, la face ouest du Siula Grande.

Deux jours de temps incertain nous permirent de nous reposer et de nous gaver de nourriture. Nous prenions des forces en vue de l'ascension. À l'idée que cette fois-ci le sort en était jeté, j'avais parfois des sueurs froides. Que se passerait-il si nous avions le moindre problème ? Il suffisait de bien peu de chose pour que l'aventure tourne au drame. Tout à coup, j'appréhendais la solitude totale, je me sentais écrasé par ce décor. Simon se mit à rire quand j'eus le malheur de parler de mes tourments. Il passait sans aucun doute par les mêmes affres que moi. Cette angoisse et la peur physique que je ressentais étaient des réactions normales, saines. Nous pouvons y arriver, nous pouvons y arriver... Je répétais comme un mantra hindou cette litanie obsédante, dès que je sentais une boule dure me serrer la gorge. Je n'agissais pas ainsi par bravade, mais le côté psychologique, dans la préparation d'une ascension, m'avait toujours posé des problèmes. « Rationalisation », disent certains – « trouille bleue » serait peut-être plus approprié, et plus honnête !

– Bon, dit finalement Simon, nous passerons la nuit au pied de la face et nous attaquerons le lendemain. Deux jours pour la montée, autant pour la descente, c'est envisageable.

– Si le temps se maintient...

Mais le lendemain, les perspectives n'étaient pas brillantes. Les sommets disparaissaient dans les nuages et un brouillard de mauvais augure recouvrait les flancs des montagnes. Une atmosphère lourde de menace planait dans l'air, une impression qui se confirma tandis que nous préparions nos sacs en vue d'un éventuel départ matinal le lendemain. Difficile de savoir s'il s'agissait véritablement des prémices d'une tempête ; le petit cadeau de l'Amazonie n'était-il pas tout simplement en avance aujourd'hui ? À tout hasard, j'ajoutai une cartouche de gaz supplémentaire à mon chargement.

– J'aimerais bien gagner cette partie. Parce que pour l'instant, c'est trois pour les montagnes, zéro pour les alpinistes !

Je souris à cette remarque désabusée.

– Ce sera différent sur le Siula. Ne serait-ce que parce que les premières pentes sont tellement abruptes qu'on ne risque pas d'y trouver de poudreuse.

– Vous pensez donc mettre quatre jours, répéta Richard négligemment.

– Cinq au plus (Simon me jeta un rapide coup d'œil) et si nous ne sommes pas de retour au bout d'une semaine, tu deviendras l'heureux propriétaire de tout notre matériel !

Richard se mit à rire avec nous, mais le cœur n'y était pas. Je n'enviais pas sa position. Pour lui, l'attente serait d'autant plus longue qu'il n'aurait aucun moyen de savoir ce qui se passait là-haut ; pendant cinq longues journées, il en serait réduit aux suppositions, sans personne avec qui partager ses craintes.

– Au bout de trois jours, tu vas sans doute commencer à imaginer toutes sortes de choses. Tâche de ne pas trop t'inquiéter. Nous savons ce que nous faisons, et de toute façon, si quelque chose arrive, tu ne peux strictement rien faire pour nous.

Malgré tous nos efforts pour réduire au minimum le poids de nos sacs, la charge était encore lourde. Cette fois-ci nous emportions beaucoup plus de matériel. En revanche, nous avions décidé de ne pas prendre la tente de bivouac qui était décidément trop encombrante. Nous pourrions toujours creuser des abris dans la neige. Mais nous emmenions tout un arsenal de broches à glace, d'ancres à neige, de matériel divers, plus des crampons et des piolets. À tout cela s'ajoutaient les réchauds, le gaz, la nourriture et les sacs de couchage.

Richard avait décidé de nous accompagner jusqu'au glacier. Le lendemain matin, lorsque tout fut enfin prêt, le soleil tapait déjà dur ; mais nous marchions tous trois d'un bon pas et, au bout d'une heure, après avoir atteint le front du glacier, nous nous engagions dans un étroit couloir fortement incliné, qui remontait entre les moraines frontales et un bouclier de dalles polies. La boue et la rocaille cédaient la place à un amoncellement d'éboulis et de blocs, dont certains avaient presque la taille d'une maison. Nous devions zigzaguer et nous faufiler dans ce chaos et, vu la taille de nos sacs, ce n'était pas toujours une mince affaire.

En deux semaines, Richard avait eu le temps de s'acclimater, et il marchait sans problème à la même allure que nous. Mais il n'était pas équipé pour affronter ce que nous apercevions un peu plus loin. Des pénitents de glace hérissaient la surface du glacier, qui apparaissait par plaques sous la boue. Pour contourner l'obstacle, il nous faudrait escalader une petite falaise de glace d'une trentaine de mètres couronnée de gros rochers en équilibre instable.

– Il vaudrait mieux que tu t'arrêtes ici, dit Simon. Nous pourrions sans aucun doute te hisser jusqu'en haut, mais tu ne serais plus capable de redescendre ensuite.

Richard regardait ce paysage désolé d'un air morose. Il s'attendait probablement à quelque chose de plus impressionnant. De cet endroit on n'apercevait même pas le Siula Grande.

– Je vais d'abord prendre quelques photos, dit-il. On ne sait jamais, elles vaudront peut-être un jour de l'or... pour illustrer une notice nécrologique !

– Nous sommes terriblement touchés par cette délicate attention !

Et Richard resta là, planté au milieu des rochers. Vu d'en haut, il donnait vraiment l'impression d'avoir été abandonné. Désormais, la solitude allait être sa seule compagne jusqu'à notre retour.

– Faites attention à vous ! nous cria-t-il, les mains en porte-voix.

– Ne t'en fais pas, répondit Simon. On n'a pas l'intention de prendre des risques inutiles. On sera de retour comme prévu. À bientôt !

Au bout de quelques minutes, nous l'avions déjà perdu de vue. La minuscule silhouette s'était fondue dans la grisaille des moraines. Nous allions bientôt entrer dans la zone des crevasses, il était temps de chausser les crampons et de nous encorder. La réverbération du soleil sur les montagnes environnantes produisait une intense chaleur sur le glacier, d'autant plus qu'aucun souffle d'air ne venait rafraîchir l'atmosphère. De ce côté, le glacier était particulièrement accidenté et tourmenté ; nous nous retournions souvent pour tenter de fixer dans nos mémoires l'itinéraire suivi. Lorsque nous repasserions par ici, nos traces auraient disparu et il serait alors important de se souvenir des passages les plus périlleux.

Lorsque l'obscurité recouvrit les montagnes, nous étions confortablement installés dans une grotte creusée au pied de la paroi. Nous partirions tôt, demain. La nuit, claire et froide, nous promettait une aube pure et glaciale.

Le grand départ

Dans le froid vif du petit matin, je me battais avec mes guêtres. De mes doigts gourds, je n'arrivais pas à manœuvrer les fermetures à glissière. J'abandonnai rapidement pour me réchauffer les mains entre les cuisses. Des gémissements m'échappaient tandis que d'intolérables brûlures me tenaillaient le bout des doigts. Jamais, me semblait-il, la douleur n'avait atteint un tel degré. Il est vrai que je me répétais la même chose chaque fois... Bon sang, que c'était insupportable !

Simon m'observait d'un air narquois. Ma seule consolation était de savoir que la douleur cesserait dès que la circulation se rétablirait.

– Je passe devant, non ? demanda Simon.

Il avait l'avantage et il en profitait. D'un air sinistre, je lui fis signe d'y aller. Il se mit à remonter le cône d'avalanche, juste au-dessus de la grotte, en direction de la paroi glacée qui luisait, toute bleue, dans la lumière du petit jour.

Cette fois, ça y était ! Je vis Simon se pencher au-dessus de la petite crevasse qui s'ouvrait au bas de la paroi. Il planta vigoureusement son piolet dans le mur de glace qui la bordait. Le temps était superbe ; aucun signe avant-coureur de tempête aujourd'hui. Si les conditions se maintenaient, nous aurions le temps d'arriver au sommet et de redescendre au moins jusqu'à mi-chemin avant le retour du mauvais temps.

Je tapais des pieds pour me réchauffer. Des éclats de glace commençaient à tinter à mes oreilles. Là-haut, Simon avait attaqué le mur de glace. Il plantait ses piolets, un léger sautillement avec les pieds, puis de nouveau les piolets. Je me recroquevillai sous la douche glacée, tournant mes regards vers le sud, où, derrière le sommet du Sarapo, le ciel s'éclaircissait de minute en minute.

Quand je regardai dans la direction de Simon, je vis qu'il arrivait déjà au bout de la première longueur, quarante-cinq mètres au-dessus de moi. Je devais maintenant tendre le cou pour l'apercevoir. La pente était définitivement d'une grande raideur.

Il cria que je pouvais démarrer; je pris mes piolets, vérifiai mes crampons et me dirigeai à mon tour vers la paroi. Arrivé au niveau de la crevasse, je réalisai à quel point la lèvre supérieure était verticale. Je me sentais tiré en arrière, en perte d'équilibre. Je me rétablis en haut de l'obstacle avec un soupir de soulagement et j'attaquai le mur de glace. Encore tout engourdi, je n'arrivais pas à coordonner mes mouvements, et je devais déployer toute mon énergie. Mais peu à peu cette gymnastique finit par me réchauffer; je retrouvais tous mes moyens, et mes gestes commençaient à s'enchaîner naturellement. Subitement, la réalité de cette ascension devenait tangible; soulevé par un brusque élan d'enthousiasme, je me lançai à la poursuite de la petite silhouette qui me précédait.

Simon se tenait sur l'extérieur d'un pied, assuré par quelques broches à glace plantées dans la paroi. D'un air désinvolte, il me dit:

– C'est raide, hein ?

– Presque vertical, oui ! Du moins dans la première partie. Mais la glace est fantastique ! Je parie que c'est encore plus raide qu'aux Droites.

Simon me passa les broches et je pris la tête. Vérifier le placement des pieds, planter un piolet, l'autre, et hop ! un coup d'œil sur les pieds, piolet, piolet, on plante encore... J'avais pris le rythme, sans efforts ; pas de migraine non plus, malgré l'altitude. J'étais au septième ciel ! J'enfonçais des broches et la glace geignait, se fendillait sous mes coups. Planter solidement, mousquetonner, et puis se laisser aller de tout son poids et souffler. Ça, c'était du beau travail ! À présent, je me sentais vivre, mes muscles travaillaient à plein régime, mon sang circulait rapidement, j'étais en sueur. « Hourraaaa ! » – l'écho roula longtemps sur le glacier. Bien plus bas, j'apercevais les petites empreintes sombres de nos pas. Émergeant du creux d'ombre de notre grotte effondrée, elles montaient en serpentant vers la crevasse.

Simon progressait à bonne allure. Il frappait énergiquement la paroi, et des éclats de glace ricochaient jusqu'au glacier. Tête baissée, il avançait sur le bout de ses pointes d'acier, un coup, un petit saut, et il était à côté de moi, continuait sans un mot, à peine essoufflé, déployant toutes ses forces. Bientôt il n'était plus qu'une petite silhouette, quelques dizaines de mètres plus haut.

Trois cents mètres, six cents mètres, nos gestes devenaient plus saccadés à chaque longueur ; quand verrions-nous la fin de cette pente ? Nous gardions les yeux fixés sur la droite, mais la perspective transformait tous nos points de repère. À côté de nous s'élevait un éperon rocheux festonné de longues stalactites, parcouru d'un réseau compliqué de goulottes et de couloirs, entrecoupé de terrasses ourlées de neige et de coulées de glace. Mais où donc était passé le couloir que nous devions emprunter ?

Le soleil nous inondait, les bonnets et les anoraks avaient disparu au fond de nos sacs. J'avais chaud, soif, et je me traînais en arrière. Mais l'inclinaison de la pente diminuait légèrement. Je souris en voyant Simon, sur ma droite.

À cheval sur un gros rocher, son sac posé à côté de lui, l'œil sur l'objectif, il se préparait à me prendre en photo. Il appuya sur le déclencheur alors que je m'engageais dans sa direction, le long d'une petite rampe.

– Déjeuner, lança-t-il, et il me tendit un morceau de chocolat et quelques pruneaux. Abrité par son sac, le réchaud ronflait.

– L'eau est presque chaude.

Je me laissai tomber dans la neige, content de pouvoir enfin me reposer tout en admirant le panorama. Il était un peu plus de midi, il faisait bon au soleil. Des blocs de glace se décrochaient régulièrement des pentes supérieures, six cents mètres plus haut, et rebondissaient sur la paroi avec des claquements sonores. Nous ne risquions rien pour l'instant. Le rocher sur lequel nous étions installés couronnait un petit promontoire qui jaillissait de la paroi comme une étrave, et les fragments de glace dévalaient de chaque côté. Juste sous notre perchoir, la pente, presque verticale, plongeait brutalement. Comme pris de vertige, je me penchai au-dessus du vide, irrésistiblement attiré par cet à-pic, la peur me serrant les tripes ; un délicieux frisson d'angoisse me parcourut l'échine.

Nos traces s'étaient fondues dans une blancheur aveuglante. La nuit prochaine, le vent balaierait tout signe de notre passage. Nous grimpions maintenant parallèlement au pilier central, ce formidable éperon de roche jaune qui coupait la montagne. Pour l'instant sa partie supérieure nous bouchait complètement la vue. Au fur et à mesure que nous avancions et que le pilier se dévoilait à nos yeux, nous réalisions qu'il s'agissait d'un énorme mur de plus de trois cents mètres de haut, l'équivalent d'une belle paroi dans les Dolomites. Toute la journée, des pierres tombaient en vrombissant, ricochant sur la pente de glace et roulant jusqu'au glacier. Mais nous étions hors de la ligne de tir ! Vues de loin, les pierres semblaient petites et inoffensives. Pourtant, la vitesse acquise au cours de plusieurs centaines de mètres de chute libre pouvait transformer un vulgaire caillou en un dangereux projectile.

Nous devions d'abord trouver un couloir de glace qui s'enfonçait dans le flanc du pilier. Nous espérions qu'il nous permettrait d'accéder à une grande rampe inclinée, que nous avions aperçue depuis le Seria Norte. Or, il nous restait à peine six heures pour trouver ce couloir, le remonter et creuser un abri pour la nuit. Ce passage serait la clé de l'ascension, car la rampe était bordée d'une muraille de glace surplombante ornée d'énormes stalactites, ce qui nous avait dissuadés de l'aborder directement par la paroi rocheuse.

En voyant Simon examiner attentivement les rochers, je lui demandai :

– Tu crois qu'on est encore loin du couloir ?

– Il doit falloir continuer, ce n'est certainement pas là. Il me montrait un rideau de stalactites d'une incroyable raideur.

– On pourrait toujours essayer, mais ce n'est pas le passage que nous avons repéré. Tu as raison, c'est sans doute au-dessus de cette partie en mixte.

Nous n'avions plus de temps à perdre. Je rangeai le réchaud, attrapai un paquet de broches à glace et mes piolets. En cramponnage frontal, je m'engageai dans la pente qui se redressait à nouveau. Cette fois, il s'agissait d'une glace de cascade, dure et cassante, et mes piolets détachaient de larges éclats. Entre mes pieds, j'apercevais Simon qui tentait de se protéger, en vain, et j'entendais ses exclamations furieuses. Il me rejoignit au relais et me fit savoir sans détour ce qu'il pensait de mon bombardement.

– Bon, c'est mon tour.

Il partit en diagonale vers la droite, sur du rocher verglacé. Je me recroquevillais pour échapper aux plus gros fragments de glace lorsqu'un doute m'envahit. Certes, Simon grimpait au-dessus de moi, mais bien plus à droite ! Je levai la tête pour voir d'où venaient les morceaux de glace et j'aperçus l'arête sommitale, tout là-haut, avec ses corniches qui s'avançaient parfois d'une douzaine de mètres, dominant toute la face. Si jamais elles se décrochaient, nous étions en plein sur leur trajectoire. Brusquement, l'atmosphère s'était alourdie ; je regardais progresser Simon d'un autre œil. Il faisait vraiment preuve d'une lenteur désespérante... Je ne pouvais m'empêcher de penser à ces corniches menaçantes et j'en avais froid dans le dos. Je le rattrapai rapidement, mais il avait aussi réalisé le danger.

– Bon sang ! Tirons-nous d'ici, dit-il en me tendant les broches.

J'attaquai sans tarder. Sur une quinzaine de mètres, une cascade de glace recouvrait un passage rocheux incliné à 80 degrés. Je commençai par planter une broche pour m'assurer. J'avais l'intention de n'en faire qu'une bouchée, et puis j'obliquerais sur la droite.

On voyait de l'eau couler sous la glace et par endroits la pellicule était si mince que des étincelles jaillissaient à chaque coup de piolet contre le rocher. Je ralentis l'allure ; il valait mieux faire preuve d'un minimum de prudence, ce serait trop bête de faire un faux pas. J'approchais du haut de la cascade et j'allais ancrer un piolet, lorsque, du coin de l'œil, j'aperçus un objet sombre qui arrivait droit sur moi.

Je hurlai : « Rochers ! » et je me tassai sur le côté. Un choc sur l'épaule, amorti par mon sac, et puis plus rien. À mon cri, Simon avait levé la tête ; je vis que le bloc, un énorme rocher de plus d'un mètre de diamètre, continuait sa course en ligne droite, dans sa direction. Il me sembla que Simon mettait une éternité à réagir, et quand enfin il bougea, ce fut comme au ralenti, avec une désinvolture qui me sidéra. Je le vis se pencher légèrement et baisser la tête à l'instant même où le rocher semblait l'atteindre de plein fouet. Plaqué contre la paroi, je fermai les yeux ; d'autres pierres me frôlèrent. Quand enfin je risquai un œil, j'aperçus Simon, vaguement protégé par son sac.

– Ça va ?

– Oui ! Sa voix me parvint, assourdie.

– J'ai bien cru que tu avais été touché !

– Seulement par des petites pierres. Avance, le coin est plutôt malsain !

Encore quelques mètres et j'étais à l'abri, sur la droite. Un large sourire s'étalait sur le visage de Simon.

– D'où ça venait ?

– Je n'en sais rien, je l'ai vu au dernier moment, En tout cas, c'est passé fichtrement près !

– Allons-y. J'aperçois le couloir.

Il partit comme une flèche. Un peu plus haut se dessinait effectivement le départ d'un couloir, à demi masqué par le pilier. Il était déjà quatre heures et demie, il ne nous restait plus qu'une heure et demie de jour.

Encore une longueur en tête, mais le couloir ne se rapprochait pas pour autant. Avec cette lumière blafarde, il était difficile d'évaluer correctement les distances. Simon s'engagea dans la dernière longueur.

– Nous devrions bivouaquer ici, la nuit va bientôt tomber.

– Oui, mais où veux-tu creuser une grotte ou trouver un replat ?

Simon avait raison. Une nuit inconfortable nous attendait si nous décidions de rester ici. Le ciel commençait à s'assombrir.

– Je vais essayer de monter un peu plus haut avant qu'il fasse complètement noir.

– Trop tard... Il *fait* noir !

– Eh bien, j'espère qu'une seule longueur suffira...

Cette idée de grimper à l'aveuglette et de manœuvrer les cordes dans l'obscurité ne m'enthousiasmait pas outre mesure. Je traversai vers la gauche, jusqu'au pied du couloir.

– Bon Dieu ! C'est surplombant, et si tu voyais la glace !

Pas de réponse.

Un ressaut de glace alvéolée me dominait, haut de sept ou huit mètres. Puis la pente semblait s'adoucir. J'enfonçai une broche dans une plaque de glace solide, allumai ma lampe frontale et, prenant une grande gorgée d'air, j'attaquai le ressaut. Un peu nerveux au départ, à cause de l'inclinaison et de la qualité de la glace, je réalisai très vite que mes piolets mordaient profondément dans la couche sous-jacente. Une courte lutte effrénée, et j'avais surmonté le passage. Simon avait disparu de ma vue. Fermement agrippé par mes pointes avant, j'examinais la voie; le faisceau de ma lampe se perdait dans l'ombre, arrachant à la glace des éclats bleutés. Un grand calme régnait, troublé seulement par mes coups de piolet et la lueur vacillante de ma frontale. Totalement absorbé par l'ascension, j'en oubliais jusqu'à la présence de Simon.

Frappe fort. Encore. Bien. Le marteau-piolet, maintenant. Regarde tes pieds. On n'y voit rien! Tant pis, tape un bon coup, recommence. Allez, continue. Difficile de savoir quelle direction prendre dans cette obscurité. Le couloir est arrondi comme une piste de bobsleigh. On dirait qu'il s'incurve vers la gauche, et disparaît là-haut sous cette frange de grosses stalactites qui le borde. Mais y a-t-il une issue derrière les stalactites? Il n'y a qu'à essayer de se glisser sous cette barrière glacée.

Au passage, quelques chandelles de glace se brisèrent avec un son cristallin et dévalèrent le couloir en tintinnabulant. Un cri étouffé me parvint. Pas le temps de répondre. Bon Dieu! Ça ne passe pas par ici... Redescends, trouve un autre passage. Non, attends, pense d'abord à t'assurer. Mais où est-ce que j'ai bien pu fourrer mes broches? Zut, je n'en ai plus! Tant pis, avant tout il faut redescendre.

Dès que je repris pied dans le couloir, j'appelai Simon, mais sa réponse s'envola dans le vent. Un tourbillon de neige s'engouffra dans le couloir et me gifla violemment. Surpris, je sursautai.

J'avais utilisé ma seule broche plus bas, et j'avais oublié d'en redemander à Simon. Je ne savais plus quoi faire. J'étais presque en bout de corde, coincé sur cette pente raide. Descendre ? Oui, mais comment faire, sans assurance... Paniqué, j'imaginais le vide prodigieux qui fuyait sous mes pieds. J'appelai de nouveau ; toujours pas de réponse. Respire un bon coup et vas-y !

La sortie n'était plus qu'à quelques mètres, mais elle se présentait mal, un étroit goulot très raide recouvert de neige mouillée. Les jambes écartées, en appui instable sur cette neige pourrie, je luttais avec l'énergie du désespoir, essayant de trouver un ancrage solide et de ne pas penser à la chute qui m'attendait si mon assurance lâchait. Pantelant, je réussis enfin à me rétablir sur les pentes neigeuses où venait mourir le couloir.

Je m'accordai une pause pour reprendre haleine avant d'escalader un ressaut rocheux où je pus enfin placer un relais, dans une fissure tout encombrée de pierres.

Lorsque Simon me rejoignit, il soufflait comme un phoque.

– Tu as pris ton temps, me dit-il d'un ton sec.

Je me rebiffai.

– Il y avait de quoi ! D'autant plus que je n'avais plus de broches, et que j'ai quasiment fait du solo !

– Laisse tomber. Trouvons plutôt un emplacement de bivouac.

Il était dix heures, le vent s'était levé, un froid glacial nous pénétrait. Quinze heures d'escalade intensive nous avaient mis à bout, et nous n'étions pas très excités à l'idée de passer encore une bonne heure à creuser un abri.

Je regardai la paroi d'un air critique.

– Rien à faire, il n'y a pas assez de neige pour une grotte.

– J'ai bien envie d'aller voir là-haut.

Simon me montrait un énorme bombement neigeux d'environ vingt mètres de diamètre, plaqué contre la paroi rocheuse, une dizaine de mètres plus haut.

Il le sonda avec circonspection ; je ne pouvais qu'applaudir à cet excès de prudence. Vu ma position précaire sur ce relais foireux, je serais immanquablement entraîné si la masse s'effondrait.

– Joe, appela Simon, tu ne me croiras jamais !

Le son clair d'un piton me parvint, puis quelques exclamations joyeuses. Enfin il me cria de le suivre. Un peu sceptique, je passai délicatement la tête à travers la petite ouverture que Simon avait pratiquée.

– Grand Dieu !

– Je t'avais bien dit que tu n'en croirais pas tes yeux !

Simon était confortablement installé sur son sac, assuré sur un bon gros piton. Avec un geste royal, il me présenta son nouveau domaine.

– Il y a même une salle de bains, annonça-t-il, rayonnant. Toute trace de fatigue et d'énervement avait disparu.

La « boule de neige » était creuse. À l'intérieur, une vaste pièce, presque assez haute pour se mettre debout, avec une petite cavité adjacente. Nous avions trouvé là un véritable palais !

Pourtant, alors que nous nous préparions pour la nuit, je ne pouvais me défaire de mes craintes. Jusqu'à quel point étions-nous en sécurité ? J'avais une certaine phobie des bivouacs non sans raison, Simon le savait bien. Mais il valait mieux arrêter de se poser des questions, nous n'avions pas vraiment le choix.

Deux ans plus tôt, nous n'avions pas non plus eu le choix dans le pilier Bonatti, et le souvenir de ce bivouac n'était encore que trop présent à mon esprit. Avec Ian Whittaker, nous avions bien progressé ce jour-là, le long de la face sud-ouest des Drus, sur cette paroi de granit d'un beau rose doré. Jaillissant au-dessus de la vallée de Chamonix, cette superbe architecture, qui se détache sur le fond de la chaîne du Mont-Blanc, offre sans aucun doute l'une des ascensions les plus esthétiques des Alpes. Après une bonne journée d'escalade, nous nous étions arrêtés à la nuit tombante, une centaine de mètres sous le sommet. Quelques longueurs d'une difficulté soutenue nous attendaient encore, il n'était donc pas question de vouloir finir la course le soir même. Mais nous n'étions pas non plus pressés de trouver une vire où bivouaquer car le temps restait au beau fixe; nous arriverions tranquillement au sommet le lendemain, après une autre nuit paisible. À cette altitude, le ciel parsemé d'étoiles brillerait de tous ses feux.

J'assurais Ian, installé sur une petite vire d'où la vue plongeait sur l'étendue vertigineuse qui disparaissait sous nos pieds. Un peu plus haut, il se battait dans un dièdre particulièrement coriace qui se perdait dans l'ombre; sa progression se faisait hésitante. J'attendais en frissonnant dans la fraîcheur nocturne, sautant d'un pied sur l'autre pour échapper aux crampes, inévitables dans un espace aussi exigu. Après une journée si bien remplie, je me sentais exténué, et je ne rêvais que de pouvoir m'étendre et me reposer.

Enfin, un cri étouffé m'indiqua que Ian avait trouvé quelque chose. Dans l'obscurité grandissante, je dus me battre à mon tour avec le fameux dièdre. Un peu plus tôt déjà, j'avais remarqué que nous avions légèrement dévié de la voie. Au lieu de partir sur la droite, en traversée, nous avions grimpé directement le long d'une fissure verticale, ce qui nous avait amenés sous un large surplomb. Nous en serions réduits à nous offrir un délicat pendule afin de le contourner. Pour l'instant, il présentait l'avantage de nous protéger d'éventuelles chutes de pierres.

Je trouvai Ian assis sur une petite vire pas très large, mais assez longue pour que nous puissions nous y étendre bout à bout. À la lumière de la lampe, je remarquai que la terrasse couronnait un large piédestal fixé à la paroi, juste au-dessus du dièdre. Il était manifestement bien ancré, et nous n'avions aucune raison de nous inquiéter.

Une heure plus tard, nous avions placé une main courante entre un vieux piton à anneau et un petit bec rocheux et nous nous préparions à dormir.

Les quelques secondes qui suivirent resteront à jamais gravées dans mon esprit... Bien au chaud dans mon sac de bivouac, je commençais à m'assoupir tandis que Ian bricolait son amarrage. Brusquement, je plongeai dans le vide. En même temps, un sinistre craquement emplit l'air, accompagné d'un terrifiant grondement. La tête coincée dans le sac, les bras battant l'air par une ouverture à hauteur de poitrine, je me sentais tomber, sans bien comprendre ce qui se passait. Un cri domina le fracas, puis je rebondis, comme si j'étais accroché au bout d'un ressort. La corde avait tenu bon. Elle avait enrayé ma chute et je me retrouvais pendu par les aisselles, me balançant doucement contre la paroi. J'essayai de reprendre mes esprits, de me rappeler si je m'étais correctement attaché; à tout hasard, j'agrippai un bout de corde.

Des tonnes de granit se disloquèrent le long du pilier dans un bruit de tonnerre. Puis le silence retomba.

J'étais complètement désorienté. Le silence me paraissait de mauvais augure. Et Ian ? Je repensai à cet appel désespéré, et une bouffée d'angoisse me submergea. Avait-il seulement eu le temps de s'attacher ?

Un grommellement étouffé me parvint, tout proche.

Je me débattis comme un beau diable pour sortir la tête du sac dans lequel j'étais coincé. Ian était suspendu à côté de moi, retenu par sa corde, la tête oscillant sur la poitrine, tandis que le faible halo jaunâtre de sa lampe se promenait sur le rocher. Un filet de sang coulait le long de son cou.

Je fouillai dans mon sac à la recherche de ma frontale, puis lui retirai la sienne avec précaution. Ses cheveux étaient tout poisseux. Il était fortement commotionné et n'arrivait pas à parler, mais sa blessure semblait superficielle. Violemment secoués par cette chute inattendue qui nous avait si brutalement tirés du sommeil, il nous fallut un certain temps pour comprendre que le piédestal au complet s'était détaché de son support et avait basculé dans le vide. Petit à petit, nous prenions conscience de notre position pour le moins délicate. Il s'ensuivit une série de jurons nerveux et de trémoussements hystériques ; puis le silence revint.

Il ne restait pas grand-chose des deux cordes que nous avions laissé pendre de la terrasse. Elles avaient été mises en pièces par l'éboulement. Quant à la main courante, elle tenait encore, mais je vis avec horreur que le vieux piton branlait tandis que le becquet avait été salement endommagé. Autrement dit, notre ancrage pouvait lâcher à tout moment, et nous serions précipités dans le vide. Il fallait absolument trouver une solution ! Mais tout notre matériel, chaussures comprises, avait disparu. La terrasse nous avait inspiré une telle confiance que nous n'avions même pas pris la peine d'attacher notre équipement à la paroi.

Nous ne pouvions absolument rien faire. Tenter de sortir, soit par le bas, soit par le haut, équivalait à un suicide. Et si jamais nous avions envisagé un seul instant de grimper en chaussettes et sans corde, l'ombre immense que projetait sur la paroi le gros surplomb nous en eût dissuadé immédiatement ! En dessous s'étendait une muraille lisse qui se perdait dans l'obscurité. Pas question de descendre sans corde. Les vires les plus proches se trouvaient une centaine de mètres plus bas. Nous n'avions aucune chance de les atteindre vivants.

Accrochés à ce lien fragile, nous avons ainsi passé douze heures interminables. Finalement, on entendit nos appels et un hélicoptère vint nous repêcher. Mais jamais je n'oublierai cette nuit qui n'en finissait pas. L'angoisse au ventre, nous passions d'une crise de rire nerveux au plus profond abattement, dans l'attente d'un plongeon que nous n'osions imaginer.

Ian retourna dans les Alpes l'été suivant mais son désir de grimper avait disparu. Plus chanceux – ou plus stupide –, je réussis à surmonter ma peur, du moment qu'on ne me parlait pas de bivouac.

– Que prendras-tu ce soir ?

Simon me tendait deux sachets.

– Moussaka ou suprême de dinde ?

– Pour ce que cela peut bien faire ! Ils sont aussi immangeables l'un que l'autre.

– Excellent choix ! Nous aurons donc de la dinde.

Encore quelques tasses de boisson chaude, une poignée de pruneaux, et nous nous installions pour dormir.

TEMPÊTE AU SOMMET

Le lendemain matin, les préparatifs furent grandement simplifiés par les dimensions de notre abri. Nous pouvions nous tenir debout, et ce fut un jeu d'enfant de rouler nos karrimats, ranger les sacs de couchage et trier le matériel d'escalade qui gisait pêle-mêle dans un coin.

Je démarrai la journée en prenant la tête. Simon resterait dans la grotte, assuré sur un piton. Je m'extirpai par l'entrée étroite et rejoignis le couloir que nous avions gravi dans l'obscurité. Avec le jour, je découvrais un nouveau terrain. Sous mes pieds, une glace compacte s'engouffrait dans une sorte d'entonnoir incurvé, avant de disparaître dans le siphon qui m'avait posé tellement de problèmes la veille. D'ici, la grande pente de glace était invisible. Je levai les yeux vers la droite. Le couloir se redressait, aboutissant à une véritable cascade de glace, mais un peu plus haut, d'un côté, la pente s'adoucissait et l'on pouvait facilement rejoindre un second couloir.

En cramponnage frontal, je me dirigeai par là, ne m'arrêtant que pour visser une broche avant d'atteindre le bord de la cascade. La glace était parfaite, un terrain de jeu idéal pour se mettre en train. Je jetai un coup d'œil en arrière et j'aperçus Simon, à moitié engagé dans l'ouverture de la grotte, qui laissait filer la corde au fur et à mesure de ma progression. Vu d'ici, cet abri naturel me parut plus impressionnant que jamais. Quelle chance incroyable d'être tombés dessus ! Nous avions échappé à une nuit pour le moins inconfortable et glaciale.

En haut de la cascade, j'avais encore assez de corde pour m'engager dans le couloir enneigé qui lui faisait suite. Simon me rejoignit très vite.

– C'est bien ce que nous pensions, nous devrions tomber sur la grande rampe à la prochaine longueur.

Je me reposai et Simon partit vers la droite où il disparut. Il devait se trouver au départ de la fameuse rampe que nous avions repérée depuis le Seria Norte. Les grosses difficultés étaient désormais derrière nous – il nous suffirait de suivre cette rampe jusqu'au bout, elle nous mènerait aux pentes sommitales.

C'était du moins ce que je croyais... Mais lorsque j'eus rejoint Simon, je vis que nos problèmes étaient loin d'être terminés. En haut de la rampe s'élevait une formidable barrière de séracs qui obstruait le passage sans qu'on puisse y déceler la moindre brèche. Apparemment, il était impossible de contourner cet obstacle, car des parois rocheuses d'aspect redoutable l'encadraient.

– Bon sang !

– Oui, c'est une mauvaise surprise. J'avoue que je ne m'y attendais pas.

– Il faut absolument trouver une issue, sinon nous sommes coincés !

– J'espère bien que non, s'exclama Simon, ça serait un sacré bout de chemin à faire en sens inverse !

Je regardai les montagnes qui nous entouraient, essayant d'évaluer à quelle altitude nous nous trouvions.

– Nous avons bivouaqué aux alentours de 5 800 mètres la nuit dernière. Il nous reste, quoi... encore quatre cents mètres.

– Cinq cents, tu veux dire, répondit Simon.

– Si tu veux, mais hier on a gagné plus de sept cents mètres sur un terrain difficile. À ce rythme-là, on devrait atteindre le sommet aujourd'hui.

– Je n'en suis pas tellement sûr. Tout dépend de ce qui nous attend pour sortir de la rampe, et n'oublie pas que toute la dernière partie est en ice-flutes.

La rampe elle-même, inclinée à 55 degrés, n'offrait pas de difficultés. Nous grimpions à tour de rôle, n'échangeant que les paroles indispensables, attentifs surtout à progresser rapidement. La veille nous avions été confrontés à des passages durs, et nous avions été obligés de nous assurer à chaque relais ; tout cela nous avait ralentis. À présent nous commencions à ressentir les effets d'un air raréfié, mais heureusement, le terrain était plus facile. Nous pouvions aller relativement vite et même couvrir deux longueurs d'une seule traite.

Respirant avec peine, je sondai la neige à la recherche d'une plaque de glace. J'y vissai deux broches, puis je plantai mes piolets. Je criai à Simon d'y aller. Nous avions déjà parcouru près de trois cents mètres dans la rampe et nous approchions de la barre de séracs. Je regardai ma montre : une heure de l'après-midi. Ce matin, nous avions paressé et démarré trop tard. Mais à raison de dix longueurs en quatre heures et demie, nous avions pratiquement rattrapé le temps perdu. Je me sentais plein de confiance. Nous étions de taille à terminer cette voie, cela ne faisait aucun doute maintenant. Je ressentis un petit frisson de plaisir à la pensée que j'allais enfin signer une première, et quelle première !

Tandis que Simon peinait plus bas, le soleil jaillit de derrière les séracs, inondant de lumière les pentes neigeuses. Lorsque Simon arriva, un grand sourire lui barrait le visage. Il n'avait pas besoin de m'expliquer les raisons de sa bonne humeur. Il y a parfois, comme ça, des moments privilégiés ; on oublie les doutes et les conflits pour se laisser envahir par une paisible sensation de bien-être.

– On fera plutôt halte après les séracs.

– Comme tu veux, dit Simon. Il observait la barrière qui nous dominait. Tu vois ces stalactites ? Je pense que c'est la solution.

À mon tour j'examinai la muraille qui gardait la rampe. Effectivement, au milieu des séracs recouverts d'une épaisse couche de neige instable s'insinuait une cascade de glace. À première vue, le passage paraissait infranchissable, d'autant plus qu'il était carrément en dévers dans les premiers mètres. Pourtant, ce mur de belle glace bleue, couronné d'un énorme rideau de stalactites, offrait la seule surface solide – la seule issue possible. Mais avant d'atteindre la partie supérieure qui paraissait très abordable, il nous faudrait escalader cette falaise glacée et surplombante sur environ huit mètres, puis nous frayer un chemin à travers les stalactites.

– C'est pas évident !

– Non, j'aimerais mieux tenter ma chance par les rochers.

– Mais ils sont complètement pourris !

– Je sais, mais on peut toujours essayer.

Il plaça sur son baudrier, à portée de main, quelques pitons, des cordelettes et des friends, puis il se dirigea vers le pied de la paroi. Je m'installai solidement un peu plus loin. La plaque rocheuse, jaune et toute délitée, s'infiltrait entre les séracs et la muraille qui bordait la rampe.

Je surveillais attentivement Simon, car vu la nature du rocher, s'il tombait, ce serait avec la rapidité et la brutalité d'une prise qui lâche soudainement. Je devais rester très vigilant, afin de pouvoir le retenir le cas échéant. Il engagea un coinceur dans une fissure. Je vis les cames se déployer et se bloquer fermement. En tout cas, s'il tombait, cela viendrait d'une défaillance du rocher, pas de l'assurance.

Il attaqua le passage avec un luxe de précautions, éprouvant longuement la solidité des prises. Il eut un moment d'hésitation, le corps collé à la paroi, puis, agrippant le rocher à pleines mains, il s'éleva lentement. Je bloquai la corde au maximum afin de pouvoir stopper une chute plus facilement.

Brusquement, les prises cédèrent. Pendant une fraction de seconde Simon se tint en équilibre, les mains encore crispées sur les deux bouts de rocher, puis il tomba. Je me ramassai sur moi-même pour mieux encaisser le choc si le friend lâchait aussi. Mais non, il avait tenu bon et arrêté la chute.

– Belle démonstration ! Je ris de l'air étonné de Simon.

– Merde !... J'étais pourtant sûr que ça tenait.

Il revint vers moi et se tourna à nouveau vers la cascade.

– Je n'ai pas envie de l'attaquer directement, mais je pense qu'en contournant par la droite, je devrais passer.

– La glace n'a pas l'air terrible par là-bas.

– On verra bien.

Il se dirigea donc sur le côté de la cascade, ce qui lui permettrait d'éviter le mur vertical. En revanche, il serait obligé de zigzaguer – une traversée à droite d'abord, suivie d'une autre sur la gauche – au-dessus des stalactites. Et puis la glace était pourrie, recouverte de paquets de neige cristallisée. Il réussit pourtant à s'élever parallèlement aux stalactites. Mais les conditions l'empêchaient manifestement de continuer. Il était dans une sale position, bloqué à six mètres au-dessus de moi, sans pouvoir ni monter, ni redescendre. Il arriva quand même à passer une sangle autour d'une épaisse stalactite et descendit en rappel.

– Je suis vidé. À toi.

– D'accord, mais tu devrais t'éloigner un peu. Je vais en faire tomber quelques-unes au passage.

La plupart des stalactites étaient de véritables colonnes de glace de la grosseur du bras, longues d'un à deux mètres, si ce n'est plus. Je m'attaquai au mur de glace ; la pente me repoussait d'autant plus que mon sac me tirait en arrière. La parade était sans aucun doute la vitesse. Sur un rythme rapide, je martelai la paroi du bout de mes crampons, ancrai mes piolets, me tractai dessus et répétai l'opération. Mais je réalisai très vite que je ne pourrais pas soutenir longtemps cette cadence infernale ; je n'étais déjà plus capable de me tenir d'une seule main et de briser de l'autre les stalactites. Je mobilisai alors toutes mes forces pour un ultime et violent coup de piolet. Puis je mousquetonnai mon baudrier à la dragonne et me laissai pendre, épuisé, en espérant que la pointe était fermement ancrée ! Je me dépêchai de poser une broche.

Soulagé, je levai la tête vers les stalactites qui me touchaient presque et, sans réfléchir, j'envoyai un grand coup de piolet. Près de cinquante kilos de glace s'effondrèrent sur moi, ricochant jusqu'à Simon. Un chapelet d'insultes se fit entendre. Quel idiot j'étais ! J'avais réussi à me briser une dent et à me fendre la lèvre. En bas Simon continuait à me maudire.

– Je suis désolé... Je n'ai pas pensé...

– Merci, j'avais remarqué.

Cependant, l'opération, bien que douloureuse, avait eu l'effet désiré. Le passage était libre, et ce fut un jeu d'enfant pour moi d'atteindre le départ d'un large couloir et d'y établir un relais.

Tout blanc de glace et de neige, Simon arriva bientôt et continua jusqu'à une fine arête, juste à la jonction de la rampe et des pentes sommitales. Le temps que je le rejoigne, il avait déjà pratiqué une petite terrasse confortable et allumé le réchaud.

– Tu saignes, me dit-il froidement.

– Ce n'est rien. De toute façon, c'est de ma faute.

Une petite brise aigre soufflait avec régularité. À l'abri du couloir, nous ne l'avions pas sentie jusqu'ici. Pour la première fois nous apercevions le sommet, une énorme corniche couchée sur le vide, deux cent cinquante mètres plus haut. Notre voie de descente suivait l'arête qui partait à gauche. Nous n'en apercevions que l'amorce, le reste étant masqué par des écharpes de nuages qui s'amoncelaient de nouveau, venant de l'est comme d'habitude. Le mauvais temps semblait être de retour.

Simon me tendit une tasse fumante et se pelotonna, le dos au vent. Il scrutait les pentes qui s'étendaient au-dessus de nous, cherchant la meilleure ligne. L'état de la neige nous inquiétait plus que les difficultés techniques. La paroi était entièrement striée de cannelures de neige poudreuse. Nous avions souvent entendu parler de ces fameuses ice-flutes, particularités des montagnes péruviennes, et nous savions qu'il valait mieux les éviter. En Europe, les conditions météorologiques ne produisent pas de telles horreurs, alors que les Andes sont réputées pour leurs spectaculaires architectures de neige et de glace qui semblent défier toutes les lois de la pesanteur. D'incroyables quantités de neige pulvérulente peuvent s'accumuler sur des pentes à 70, voire 80 degrés, et s'amonceler sur les arêtes pour y former de fabuleuses corniches qui se chevauchent en équilibre prodigieux. On ne rencontre ce phénomène qu'en Amérique du Sud ; partout ailleurs, la neige dévale le long des parois et ne s'amasse que sur des pentes d'inclinaison modérée.

Juste au-dessus de nous, une bande rocheuse coupait la face dans toute sa largeur. Elle n'était pas très raide, mais la couche de neige qui la recouvrait la rendait particulièrement délicate. Au bout d'une trentaine de mètres, elle venait mourir sur une pente neigeuse qui allait en se redressant. À partir de là, les ice-flutes s'étiraient sans discontinuer jusqu'au sommet. Une fois que nous nous serions engagés entre deux cannelures, il nous serait pratiquement impossible d'en sortir. Le bon choix s'imposait donc dès le départ. D'autant plus qu'au lieu de monter parallèlement, elles se croisaient à plaisir, formant d'innombrables culs-de-sac. En y regardant bien, j'apercevais quelques lignes valables, mais tout de suite, le dessin se brouillait, n'offrant plus qu'un labyrinthe inextricable de cannelures et de sillons à l'infini.

– Bon sang ! s'exclama Simon, c'est désespérant. Je ne sais vraiment pas par où passer !

– Nous ne sommes pas près d'arriver au sommet aujourd'hui.

– En tout cas pas si ces nuages se mettent de la partie. Quelle heure est-il ?

– Quatre heures. Nous n'avons plus que deux heures devant nous. Il vaudrait mieux presser le mouvement.

La barre rocheuse me fit perdre un temps précieux. Le rocher, noir et compact, très différent de ce que nous avions rencontré plus bas, était quasiment lisse, seulement parsemé de quelques rares prises dissimulées par la neige. Peu difficile techniquement, le passage était pourtant traître et surtout exposé. Je n'arrivais pas à oublier le précipice de mille deux cents mètres auquel je tournais le dos… Cela me rendait d'autant plus nerveux que je me savais mal protégé, avec pour toute assurance le piolet que Simon avait enfoncé dans la neige à côté de lui. Je savais pertinemment que le choc l'arracherait si jamais je glissais.

Je sentis que mon pied gauche dérapait, et le crampon ripa sur le rocher. Je détestais ce type d'escalade délicate, mais j'étais trop engagé maintenant pour reculer. Je me tenais en équilibre précaire sur les pointes avant lorsque mes jambes furent saisies d'un tremblement incontrôlable. Un cri m'échappa. J'étais furieux de laisser voir ma peur, mais rien à faire. J'avais beau savoir qu'il ne restait que quelques mètres, je n'arrivais pas à me convaincre que, sans cet à-pic impressionnant, je serais passé les mains dans les poches. J'étais littéralement figé sur place.

Il me fallut un certain temps pour me calmer.

Lorsque je me remis à grimper, la facilité du passage et mon aisance me surprirent. Je posai vite un relais plus fiable que celui de Simon, ce que je m'empressai de lui faire savoir. J'étais contrarié d'avoir ainsi fait étalage de ma peur, d'autant plus que Simon évoluait sur le rocher avec une certaine désinvolture, alors que je n'avais pas encore repris mon souffle.

– Je me suis bêtement laissé avoir par ce truc-là !

– J'ai remarqué...

– Et après, par où passe-t-on ?

Un peu plus tôt j'avais cru repérer un chemin direct, mais je n'arrivais pas à le retrouver. D'ici, on ne voyait plus où menaient tous ces couloirs.

– Je n'en ai strictement aucune idée. Celui-ci a l'air large, je vais aller voir.

Simon s'engagea entre deux cannelures qui s'élevaient sur plusieurs mètres. Jamais nous ne pourrions traverser ces murs de neige si nous n'étions pas dans le bon chemin. Là-haut, Simon se battait avec de grandes quantités de poudreuse. Il disparut bientôt complètement. Le vent s'engouffrait dans l'étroit goulet, soulevant des tourbillons de neige. Le jour déclinait rapidement, le vent augmentait d'intensité et la neige s'était mise à tomber. Dans le couloir, plus haut, Simon devait sans doute effectuer un véritable travail de terrassier. En plein sur sa trajectoire, je ne pouvais éviter les coulées qu'il déclenchait, et au bout de deux heures, j'étais frigorifié.

À la lumière de ma lampe frontale, je vis avec surprise qu'il était déjà huit heures du soir. Quatre heures pour monter de cent mètres ! Je me pris à douter sérieusement du succès de notre entreprise : viendrions-nous à bout de ces ice-flutes ? Enfin, un faible appel perça les épais nuages cotonneux. J'avais extrêmement froid malgré ma fourrure polaire. Nous allions devoir bivouaquer quelque part sur ces pentes abominables car il était hors de question de continuer dans ces conditions. Je n'en revenais pas ! Simon avait creusé une tranchée d'un mètre de large par un mètre de profondeur sur toute une longueur de corde, à la recherche effrénée d'une couche de neige plus stable. Pour finir, il n'avait trouvé qu'une fine plaque de glace friable qui supportait à peine son poids. D'ailleurs, elle s'était déjà effondrée par endroits, et je peinais beaucoup malgré la trace. Cette longueur lui avait demandé trois longues heures et il était à bout de forces. J'étais aussi harassé que lui, et transi. Il était impératif de trouver rapidement un emplacement de bivouac.

– Incroyable cette neige !

– Tu parles d'une horreur. J'ai bien cru que j'allais dévaler jusqu'en bas.

– Nous devrions nous arrêter et bivouaquer. Je me suis sérieusement refroidi sans bouger.

– O.K., mais pas ici. C'est trop étroit.

– Dans ce cas, tu ferais aussi bien de continuer.

Cela simplifiait les manœuvres de cordes, mais j'allais de nouveau avoir le temps de geler. Au bout de deux heures interminables, je pus enfin rejoindre Simon une trentaine de mètres plus haut. Il était installé dans un large trou, au milieu du couloir.

– J'ai trouvé un peu de glace.

– Assez solide pour qu'on puisse y planter une broche ?

– Ce n'est pas le moment de faire la fine bouche ! Installe-toi, nous allons l'élargir.

Je me glissai à côté de lui, certain que le sol de la cavité allait s'effondrer d'un moment à l'autre, et je me mis au travail. Bientôt, nous avions creusé un abri rectangulaire qui s'allongeait en travers de la pente, entre les deux cannelures, l'entrée en partie bouchée par la neige que nous avions enlevée à l'intérieur.

Vers onze heures du soir, bien au chaud dans nos sacs de couchage, l'estomac rempli par notre dernière ration de lyophilisé, nous étions tranquillement en train de siroter une boisson chaude.

– Plus qu'une centaine de mètres. J'espère que les conditions ne seront pas plus mauvaises qu'aujourd'hui !

– On dirait que la tempête a cessé. En tout cas, il fait bougrement froid. Je pense que mon petit doigt est gelé. Regarde, il est tout blanc.

Pendant que nous peinions dans le couloir, la température était considérablement descendue à cause du vent, probablement de - 20 °C aux alentours de - 40 °C. Encore heureux que nous ayons trouvé un endroit pour nous abriter. J'espérais que le beau temps serait au rendez-vous le lendemain.

Le fond de la cartouche de gaz était pris dans une épaisse couche de glace. Je donnai quelques coups avec mon casque pour la dégager, puis je la pris et la fourrai dans mon sac de couchage, frissonnant au contact du métal glacé. Cinq minutes plus tard, emmitouflé jusqu'aux oreilles, je surveillai d'un œil endormi le réchaud qui ronflait allègrement, dangereusement près de mon duvet. Les parois de la grotte luisaient d'un éclat bleuté. La nuit s'était traînée à n'en plus finir dans ce froid glacial, à plus de 6 000 mètres d'altitude.

Quand l'eau fut bouillante, je m'assis et enfilai rapidement fourrure polaire et gants avant de fouiller la neige à la recherche d'un sachet de jus de fruit et d'une plaquette de chocolat.

– Petit déjeuner !

– Bon Dieu, je suis complètement gelé.

Simon se déplia, attrapa la tasse fumante et se recroquevilla au fond de son sac. Je bus lentement, la tasse serrée contre ma poitrine pour profiter au maximum de sa chaleur, surveillant d'un œil la deuxième fournée de neige fondue. La flamme semblait mollir.

– Combien de cartouches nous reste-t-il ?

– Plus qu'une, répondit Simon. Celle-ci est vide ?

– Pas tout à fait. Nous n'avons qu'à la terminer et garder l'autre pour la descente.

– D'ailleurs nous n'avons plus qu'un seul sachet de boisson aux fruits.

– On avait bien calculé, finalement. On a tout juste de quoi faire un autre bivouac. Ça suffit.

Se préparer dans ce froid glacial n'avait rien d'une sinécure, mais aujourd'hui je prêtais peu d'attention à ces petits détails. Les ice-flutes nous attendaient, et c'était à mon tour de prendre la tête. Pour simplifier les choses, après m'être extrait de la grotte, je devais passer sur le toit qui occupait toute la largeur du couloir. Évidemment, la moitié de la grotte s'effondra sur Simon qui m'assurait de l'intérieur. Une fois dans la pente, je cherchai du regard notre chemin de la veille. La tranchée avait complètement disparu, comblée par la tempête, balayée par le vent et la neige. À ma grande déception, le couloir se terminait trente mètres au-dessus, là où les cannelures se rejoignaient pour former une arête dentelée. Finalement, nous allions bien être obligés de traverser l'un de ces murs.

Le ciel était limpide, l'air parfaitement calme. Cette fois, c'était à Simon de supporter stoïquement les avalanches de neige que je faisais dégringoler à chaque pas. Ce matin, je voyais au moins où je mettais les pieds. En revanche, la lumière du jour n'offrait pas que des avantages : je bénéficiais maintenant d'une superbe vue plongeante sur un à-pic de 1 400 mètres qui fuyait entre mes jambes... Vu la précarité de nos relais, je préférais ne pas envisager ce qui se passerait en cas de chute. Je me concentrais plutôt sur la suite des opérations. La pente se redressait nettement tandis que je me trouvais dans une impasse ; il fallait que je me décide enfin à traverser une cannelure. Mais laquelle ? Impossible de savoir ce qui m'attendait, que ce soit d'un côté ou de l'autre. D'en bas, Simon m'observait attentivement. Émergeant en partie de la grotte écroulée, il se profilait sur le vide, parfaite image de la fragilité de notre situation. Les cannelures semblaient être un peu plus basses près de la grotte. Peut-être avait-il une meilleure perspective ?

– Tu vois quelque chose ? De quel côté vaut-il mieux traverser ?

– Ne pars pas sur la gauche.

– Pourquoi ?

– Ça a l'air abrupt et drôlement dangereux.

– Et vers la droite ?

– Impossible à dire, mais les cannelures semblent un peu moins raides. Toujours mieux qu'à gauche en tout cas.

J'hésitais. Quand je serais engagé dans l'une des ice-flutes, je ne pourrais peut-être plus revenir en arrière, et je ne voulais surtout pas me retrouver dans une situation encore plus délicate. Après tout, y avait-il seulement un autre couloir, à côté ? Les murs de neige qui me cernaient ne m'offraient aucun indice.

– D'accord, surveille les cordes !

Et je m'enfonçai dans la cannelure de droite. C'était idiot, ce que j'avais dit au sujet des cordes ! Puisque de toute façon le relais ne tiendrait pas...

À ma grande surprise je pénétrai à grands coups de piolets dans le mur de neige sans rencontrer de résistance, et bientôt j'émergeai, haletant, de l'autre côté. Je me trouvais dans un couloir raide qui débouchait, une cinquantaine de mètres plus haut, en plein sous l'énorme corniche sommitale. Simon, à son tour, s'arracha du mur de neige et poussa un cri de joie à la vue du sommet.

– Cette fois, c'est dans la poche !

– J'espère, mais cette dernière partie est sacrément inclinée.

– Ça ira. Il se mit en route, brassant des quantités de neige fraîche qui m'ensevelissaient aussitôt.

Je tirai ma capuche sur mon casque et me détournai. Le glacier, en bas, me parut soudain très loin. J'en avais des sueurs froides. Un grand cri d'allégresse m'arracha à mes sombres pensées. La corde filait, disparaissait en haut du couloir.

– Ça y est, fini les ice-flutes. Arrive !

Simon chevauchait un renflement neigeux, l'air radieux. À moins de quinze mètres derrière lui s'érigeait le gros champignon surplombant qui coiffait le sommet, projetant au-dessus de la face ouest une terrifiante excroissance de glace et de neige. Je doublai Simon. Les pointes de mes crampons mordaient solidement et je m'élevais rapidement vers la gauche, là où la corniche allait en s'amenuisant. Dix minutes plus tard, je me tenais sous l'arête sommitale, à la jonction des versants ouest et est.

– Prends une photo.

J'attendis que Simon ait sorti son appareil, plantai mon piolet du côté est de l'arête, et me tournai vers le large col qui s'incurvait sous le sommet. Le panorama se dévoilait enfin à mes yeux. Sortant de l'ombre du versant ouest, je goûtais voluptueusement cet ensoleillement matinal.

Lorsque Simon m'eut rejoint, notre joie éclata. Assis sur nos sacs, après nous être débarrassés de nos moufles et de nos piolets, nous jouissions pleinement d'un repos bien mérité, laissant nos regards errer sur le paysage.

– Laissons les sacs et montons jusqu'au sommet, dit soudain Simon.

Le sommet ! Je l'avais complètement oublié ! Sortir de la face ouest m'avait paru être une fin en soi. La boule de crème glacée qui se dressait derrière Simon n'était guère qu'à une trentaine de mètres de nous.

– Vas-y, je te prendrai en photo quand tu y seras.

Simon attrapa quelques barres de chocolat avant de se lever. Il marchait lentement, d'un pas pesant, dans la neige molle. L'altitude et la fatigue commençaient à se faire sentir. Quand enfin il se profila sur le ciel, penché sur son piolet, au sommet de la fabuleuse corniche, je pris plusieurs photos. Puis je me dépêchai de le rejoindre, le souffle court et les jambes lourdes.

Encore quelques photos, quelques carrés de chocolat. L'excitation retombée, je sentais un grand vide m'envahir, comme à chaque fois. Et après ? C'était un cercle vicieux. Quand le but tant convoité est atteint, le rêve réalisé, on retombe à la case départ. Et voilà déjà qu'un nouveau rêve se forme, un projet encore plus difficile, encore plus ambitieux, et plus dangereux... Où tout cela me conduisait-il ? Je préférais ne pas trop m'appesantir sur cette idée. Comme si, par quelque étrange cheminement, le jeu se retournait contre moi, me conduisant à mon corps défendant vers une conclusion logique mais effrayante. J'avais toujours ressenti ce malaise en foulant le sommet. Dans le calme qui suivait la tempête, la question s'imposait brutalement : quel est le véritable sens de mon engagement ? Et le doute s'insinuait en moi – est-ce que je maîtrise encore mes motivations, s'agit-il d'un plaisir authentique ou d'une attitude narcissique ? Ai-je vraiment envie de recommencer ? Paradoxalement, j'appréciais ces instants ; après tout, ces pensées morbides étaient plus ou moins dénuées de fondement, elles disparaîtraient aussi vite qu'elles avaient surgi.

– On dirait que nous allons avoir droit à une autre tempête.

Depuis un moment, Simon observait l'arête nord, notre itinéraire de descente. Des nuages amoncelés sur la face est commençaient à déborder sur le versant ouest, masquant l'arête. Le glacier serait probablement invisible d'ici une heure à peine. L'arête débutait au col où nous avions laissé nos sacs, remontait vers un sommet secondaire, puis s'enroulait sur elle-même, avant de repartir, en fines ondulations, pour se perdre dans le brouillard. À travers une déchirure dans les nuages, j'entr'aperçus de courtes sections, au tranchant dangereusement effilé, et d'autres, ourlées de corniches menaçantes. Sur ma droite s'enfonçait la face est, striée de cannelures tortueuses. Jamais nous ne pourrions passer par là pour éviter les corniches. De ce côté, les ice-flutes paraissaient définitivement infranchissables.

– Bon Dieu, ça se complique !

– Oui, pourtant il vaudrait mieux se bouger. Si on se dépêche, on peut encore traverser sous le sommet et rejoindre l'arête un peu plus bas. J'ai bien l'impression que nous avons tout au plus une heure devant nous.

Simon tendit la main, et les premiers flocons vinrent doucement se poser sur son gant.

Descendre prendre nos sacs ne prit que quelques minutes. Simon en tête, nous progressions ensemble, encordés, les anneaux de corde à la main pour parer à toute éventualité. De cette façon, nous pourrions peut-être dépasser le sommet secondaire avant que la visibilité devienne nulle – d'autant plus que la neige, particulièrement profonde, ralentissait notre marche. J'espérais que j'aurais le temps d'enfoncer mon piolet dans la neige en cas de chute ; mais elle était d'une telle inconsistance...

Les nuages se refermèrent sur nous alors que nous nous trouvions sous le sommet secondaire. Quelques minutes plus tard, nous naviguions au jugé. Il était deux heures et demie de l'après-midi, de gros flocons tombaient, et nous savions que le mauvais temps s'était installé pour le restant de la journée. Nous essayions de percer les nuées, cherchant à nous repérer.

– Je crois qu'on devrait prendre vers le bas.

– Je ne sais pas... Non, il vaut mieux ne pas descendre. Tu n'as pas vu les cannelures ? Nous ne pourrons jamais remonter.

– Tu crois qu'on a dépassé le petit sommet ?

– Oui, je pense.

– On n'y voit strictement rien !

La neige et les nuages ne formaient plus qu'une étendue blanche, uniforme. À moins d'un mètre, on ne distinguait déjà plus la neige du ciel.

– Si seulement nous avions une boussole.

À ce moment précis, le soleil perça faiblement l'épais brouillard et l'arête se profila vaguement, trente mètres au-dessus de nous. Mais le rideau se referma avant que j'aie eu le temps d'avertir Simon.

– J'ai aperçu l'arête.

– Où ça ?

– Droit au-dessus. On ne la voit plus maintenant, mais j'en suis sûr.

– Bon, alors je vais grimper et je la trouverai. Reste ici. Tu pourras toujours me retenir si je ne vois pas le bord à temps !

Il disparut immédiatement derrière un rideau de neige. Seule la corde qui filait entre mes doigts m'indiquait le rythme de sa progression. Perdu au milieu des nuages, je commençais à m'inquiéter. L'arête se révélait un itinéraire beaucoup plus délicat que ce que nous avions envisagé. J'allais appeler Simon, lui demander s'il voyait quelque chose, mais les mots s'étranglèrent dans ma gorge tandis que la corde m'échappait. Au même instant, le bruit sourd d'une violente explosion me parvint à travers les nuages. Avec mes gants couverts de givre, je n'arrivais pas à retenir la corde. Avant d'avoir eu le temps de la bloquer, je me sentis entraîné, plaqué contre la paroi. Le grondement mourut.

Je n'imaginais que trop bien ce qui avait dû se produire. Simon était passé à travers la corniche – à moins qu'il ne s'agisse d'une chute de séracs, comme le bruit semblait l'indiquer. J'attendais, les mains crispées sur la corde tendue à se rompre. Je hurlai.

– Simon, ça va ?

Pas de réponse. Je n'osais pas faire le moindre geste. S'il était pendu dans le vide au-dessus de la face ouest, il faudrait un certain temps avant qu'il reprenne ses esprits et puisse regagner l'arête. Au bout d'un quart d'heure, j'entendis un cri, inintelligible. Comme la tension sur la corde avait cessé, je me décidai à bouger.

– J'ai trouvé l'arête !

– Ça, j'avais remarqué ! Je me mis à rire nerveusement. Il était assis juste sous la crête, encore tout tremblant.

– J'ai bien cru que ça y était, cette fois, murmura-t-il. Nom de Dieu... Incroyable ! Tout est parti d'un seul coup.

Il secouait la tête, comme pour se débarrasser de cette vision d'horreur. Quand il eut retrouvé son calme et que la décharge d'adrénaline fut passée, il regarda de nouveau l'arête et me raconta :

– Je n'ai absolument pas réalisé que j'avais atteint l'arête. J'en ai simplement aperçu un petit bout, dans une trouée, un peu plus loin vers la gauche. Mais il n'y a pas eu de craquement, aucun signe avant-coureur. Je grimpais, et la minute d'après je tombais. La corniche a cassé derrière moi, du moins je crois ; ou sous mes pieds. En tout cas, je suis parti avec elle. Ça a été si rapide ! Je ne comprenais rien, sauf que je tombais.

– Et comment ! Je regardai le précipice, derrière lui. La tête penchée, il tentait de reprendre son souffle et d'arrêter le tremblement qui agitait sa jambe.

– Et je dégringolais au ralenti, comme dans un

rêve. J'oubliais que j'étais retenu par une corde. Le bruit, la chute... j'avais complètement perdu les pédales! J'étais environné d'énormes blocs de neige qui tombaient à la même vitesse, et je me suis dit: cette fois, ça y est! Ils étaient gigantesques, ils faisaient au moins deux mètres de côté.

Il avait retrouvé son sang-froid, mais je ne pouvais qu'imaginer le désastre si nous étions montés en même temps – rien ne nous aurait retenus...

– Et puis j'ai senti la corde autour de ma poitrine, mais j'ai pensé qu'elle ne tiendrait pas. Je continuais à tomber, et les blocs me cognaient, me faisaient pirouetter dans tous les sens.

Il s'arrêta un instant, puis continua:

– En bas, le brouillard était moins épais, et je voyais des blocs tournoyer et s'éparpiller dans le vide. Une véritable avalanche continuait à pleuvoir sur moi... Peut-être que je ne tombais déjà plus, mais j'étais pris dans un tel tourbillon... J'avais perdu toute notion de temps, de peur. J'étais complètement abasourdi.

Peu à peu, il avait réalisé qu'il était suspendu dans le vide. Sur sa gauche, d'autres corniches continuaient à dévaler dans l'abîme. Malgré les nuages, il les voyait se fracasser dans la pente. Il ne savait plus très bien si c'était lui qui s'éloignait de l'arête ou l'inverse.

– J'étais tellement désorienté que je n'étais pas sûr d'être sauf. Je voyais toute la face ouest sous mes pieds, et puis le glacier, loin en bas, un à-pic terrifiant! J'ai complètement paniqué, et j'ai mis quelques minutes avant de réaliser que tu m'avais finalement retenu. Tout avait été si rapide! Peu à peu j'ai pris conscience de ma position, pendu dix mètres sous l'arête... J'apercevais le départ de la voie !

– Si la corniche s'était effondrée lorsque nous y étions, nous aurions été complètement balayés... Finalement, comment as-tu pu remonter ?

– Ça n'a pas été facile. À l'endroit de la cassure il y avait un mur vertical d'une bonne dizaine de mètres, que je soupçonnais d'être fortement instable. Et puis je t'ai entendu, mais je n'avais pas le courage de répondre. J'essayais de voir jusqu'où allait la ligne de fracture – soixante mètres au moins. Le plus drôle, c'est que la visibilité s'est améliorée au moment précis de ma chute. Si j'avais atteint l'arête quelques minutes plus tard, j'aurais vu le danger.

Nous allions devoir affronter une arête particulièrement dangereuse. Et l'effondrement partiel qu'avait provoqué Simon n'y changerait rien. Nous apercevions d'autres lignes de fracture, en particulier une superbe fissure qui courait parallèlement à la crête, à un peu plus d'un mètre du bord.

SUR LE FIL DE L'ARÊTE

Il était hors de question d'envisager une traversée dans la face est. Un dédale d'impressionnantes ice-flutes s'enfonçait dans les nuages, une centaine de mètres plus bas. Nous perdrions trop de temps à traverser toutes ces cannelures, et nous nous exposerions à des risques inutiles. Si nous tentions de descendre plus bas, nous serions plongés dans les nuages et forcés de continuer à l'aveuglette. Le choix était restreint. Simon se leva et entreprit d'avancer timidement en suivant la fissure, à environ un mètre cinquante du bord de la corniche. Je m'aventurai de quelques mètres dans le versant est, à tout hasard. Je pourrais le retenir plus facilement si de nouveau la corniche lâchait. En tout cas pour l'instant... Car dès qu'il serait en bout de corde, il faudrait bien que je le rejoigne sur l'arête.

Je me décidai à suivre Simon, obsédé par le souvenir de la brusque inquiétude qui m'avait saisi, sans raison apparente, peu avant sa chute. J'avais déjà vécu ce genre de situation, et cela m'avait toujours profondément troublé. Nous vivions sur cette montagne depuis plus de deux jours; peut-être avions-nous atteint un tel niveau de symbiose que nous percevions instinctivement le moindre signal de danger. Une sorte d'intuition m'avait averti qu'une menace pesait sur nous, sans que je puisse en préciser la nature. Cette théorie était purement gratuite, pourtant elle me dérangeait, d'autant plus que, de nouveau, une sourde inquiétude me rongeait... Je sentais chez Simon la même tension. La descente se révélait beaucoup plus délicate que nous ne l'avions cru.

J'avançai avec circonspection, surveillant la fissure du coin de l'œil, vérifiant que je posais mes pas dans ceux de Simon, attentif à respecter une distance d'une bonne quarantaine de mètres entre nous, les yeux fixés sur son dos. De cette façon nous pouvions encore nous en sortir en cas de chute. Si je le voyais tomber, j'aurais peut-être le temps de me jeter dans la face opposée pour servir de balancier. Dans le cas inverse, Simon, lui, ne bénéficierait sans doute d'aucun avertissement, à moins qu'il m'entende crier ou qu'il y ait un craquement. Encore fallait-il qu'il puisse se retourner pour voir de quel côté je tombais, afin de sauter sur le versant opposé ! En tout état de cause, on pouvait supposer qu'un large pan d'arête s'effondrerait, nous entraînant tous deux dans sa chute.

La fissure prit fin et je poussai un soupir de soulagement. Les traquenards de l'arête paraissaient maintenant moins tangibles. Pourtant, elle plongeait brusquement, déroulant de multiples circonvolutions, crénelée de majestueuses protubérances penchées sur le vide. Apparemment la situation s'arrangeait plus loin, et je ne manifestai aucune surprise quand Simon entama une descente dans la face est. Il cherchait visiblement à éviter cette partie tarabiscotée par une traversée. Nous rejoindrions l'arête un peu plus bas.

Je réalisai soudain que la lumière avait baissé. Il était déjà cinq heures ! Nous avions quitté le sommet trois heures et demie plus tôt. Dans une heure il ferait sombre, et nous avions à peine entamé la descente ! Pour tout arranger, de gros nuages s'étaient amoncelés de nouveau, et des flocons nous giflaient le visage. Un vent glacial s'était levé.

Simon descendait entre deux cannelures. Je le suivais prudemment, n'avançant que lorsque les cordes se tendaient afin de maintenir une certaine distance. J'évoluais dans un univers blafard, un monde cotonneux d'une blancheur uniforme. Au bout d'un moment, il me sembla que nous avions perdu suffisamment d'altitude et qu'il fallait entamer la traversée à l'horizontale. Mais Simon continuait sur sa lancée. Je lui criai de s'arrêter. Je n'obtins qu'une réponse incompréhensible. Je criai de toutes mes forces et le mouvement des cordes cessa. Pour communiquer avec lui, il fallait absolument que je me rapproche. La pente se redressait sensiblement ; un peu inquiet, je me retournai face à la paroi, mais j'avais autant de mal à contrôler ma descente.

Tout à coup j'entendis une voix et, cette fois, des paroles. À l'évidence je me trouvais tout près de Simon. Mais la neige se mit à couler sous mes pieds et je glissai, sans arriver à me retenir malgré mes piolets. Je poussai un cri d'alarme, et heurtai Simon de plein fouet.

– Bon sang !... Je... Oh, merde ! J'ai bien cru... Quelle saloperie !

Simon n'avait pas dit un mot. Le visage dans la neige, les jambes flageolantes, j'essayais de me ressaisir ; mon cœur battait à tout rompre. J'avais eu la chance de me trouver très près de Simon, sans cela j'aurais pris tellement de vitesse que je l'aurais probablement entraîné dans ma chute.

– Ça va mieux ? demanda Simon.

– Oui, j'ai eu peur, c'est tout !

– Ouais...

– Nous sommes beaucoup trop bas.

– Mais je pensais qu'on pourrait essayer de rejoindre le glacier de la face est !

– Tu plaisantes ou quoi ? On a déjà failli se tuer ici ! Dieu sait ce qui nous attend plus bas.

– Mais l'arête est infernale. On ne pourra jamais la descendre ce soir.

– De toute façon, il est impensable qu'on atteigne le glacier ce soir, que ce soit d'un côté ou de l'autre. Bon sang, réfléchis un peu. Il fait presque nuit, si on fonce tête baissée, on a toutes les chances de se casser la gueule !

– Bon, ça va, calme-toi. C'était juste une idée en l'air.

– Excuse-moi... J'ai eu tellement la frousse... On devrait traverser et tâcher de rejoindre l'arête maintenant.

– D'accord. À toi l'honneur.

J'entrepris de remettre de l'ordre dans les cordes emmêlées avant de m'enfoncer dans la première cannelure. Au bout d'une heure et demie, j'avais franchi un nombre incalculable de murs de neige et de couloirs, Simon derrière moi. Pourtant nous avions à peine avancé d'une centaine de mètres. La neige tombait dru, le vent et le froid s'acharnaient sur nous. Dans une obscurité totale, nous progressions difficilement à la lueur de nos lampes frontales. Je traversai un énième mur de neige fluide pour déboucher sur un autre couloir. Je trébuchai sur un rocher. J'appelai Simon :

– Ne bouge pas ! Je suis tombé sur un passage rocheux.

Je décidai de le contourner par une sorte de pendule. Je plantai d'abord un piton sans difficulté, mais la suite des opérations m'échappa totalement. Je tombai de côté sans avoir eu le réflexe de me retenir à la corde. Simon employa une technique similaire, d'une simplicité enfantine, basée sur le principe de la gravité. C'est-à-dire qu'il sauta, tout bêtement, sans voir où il allait atterrir, mais convaincu que la neige, profonde, stopperait sa chute. Un raisonnement éminemment logique, dans lequel je décelai pourtant une légère faille : a priori, il ne savait pas s'il trouverait de la neige ou du rocher à la réception ! Mais nous étions bien trop engourdis par le froid et la fatigue pour que ce genre de détail nous gêne.

Cette saillie rocheuse marquait le début d'une pente de neige dépourvue d'ice-flutes. Un peu plus loin, un large cône neigeux s'appuyait contre des rochers. L'endroit parfait pour creuser un abri.

À cause d'un mauvais contact, la frontale de Simon fonctionnait mal. Je pris le relais et tombai rapidement sur le rocher. J'essayai de creuser dans le sens de la longueur, mais très vite j'abandonnai cette idée. La couche de neige n'était pas assez profonde pour que j'obtienne une grotte convenable. Malgré le froid, Simon avait enlevé ses gants et tripotait les fils de sa lampe. Il faisait largement - 20 °C. Avec la gymnastique que j'étais en train de m'offrir, je n'en avais pas conscience, mais Simon avait deux doigts gelés, et il se mit en colère quand il réalisa que je creusais une autre grotte. Je le trouvai bien irascible, et sans chercher plus loin, je décidai de l'ignorer. Je me donnais déjà assez de mal pour construire un abri confortable! Pendant ce temps, Simon avait réussi à réparer sa frontale, mais ses gelures étaient sérieuses. Il manifestait une réprobation muette à mon égard.

Je préparai le repas – besogne vite expédiée: il ne nous restait qu'un peu de chocolat, une poignée de fruits séchés et de quoi boire. Mais ce casse-croûte nous retapa et toute trace d'animosité disparut aussitôt. Nous étions tous les deux épuisés, frigorifiés, et j'avais simplement cherché à nous procurer un abri le plus rapidement possible. Nous avions besoin de nous reposer et de reprendre des forces. Une autre longue, très longue journée s'achevait. Si elle avait bien commencé puisque nous avions foulé le sommet, cette descente pleine d'embûches avait entamé notre confiance. La chute de Simon avait ébranlé notre moral, et la suite n'avait rien eu de très glorieux. Nous étions tous deux à bout de nerfs, mais conscients qu'une attitude agressive ne nous mènerait à rien.

Simon me montra ses doigts. La circulation s'était en partie rétablie, mais l'extrémité de ses index restait dure et blanche. La première phalange était manifestement atteinte. Il fallait espérer que les dégâts ne s'étendraient pas plus loin. En fait je n'étais pas très inquiet. Demain nous verrions la fin des difficultés, et nous serions de retour au camp de base dans l'après-midi. Il nous restait juste assez de gaz pour tenir jusque-là. Pourtant je n'arrivais pas tout à fait à chasser certaines images, notamment celle d'une cordée dévalant la face est... Nous étions passés très près du désastre. Simon avait sans aucun doute partagé mes angoisses, d'autant plus qu'il avait été témoin, l'année précédente, d'un accident semblable aux Grandes Jorasses, dans l'éperon

Croz, où deux alpinistes japonais avaient fait une chute mortelle, quelques dizaines de mètres sous ses pieds.

Depuis trois jours la tempête faisait rage, créant des conditions épouvantables, rocher verglacé, prises et fissures bouchées par la neige. Il avait fallu dégager chaque prise, et les passages les plus faciles avaient réclamé une attention soutenue. Bien entendu, la progression en avait été considérablement ralentie, Simon et son compagnon de cordée, Jon Sylvester, avaient dû effectuer deux bivouacs dans la paroi. Ils terminaient leur troisième journée d'ascension tandis qu'une autre tempête se préparait. La température tombait de façon sensible et les nuages se refermaient sur eux, les emprisonnant sur la montagne. Déjà les premières coulées de neige déferlaient autour d'eux.

Les Japonais leur collaient aux talons. Pourtant rien n'avait rapproché les deux cordées, pas même les bivouacs. Si les grimpeurs ne faisaient preuve d'aucun esprit de compétition, personne n'avait non plus suggéré une éventuelle collaboration. Les quatre alpinistes surmontaient les difficultés de façon égale, connaissant des chutes fréquentes, généralement aux mêmes endroits. Chaque équipe avait observé les luttes, les échecs et les réussites de l'autre.

Alors qu'ils attaquaient les dernières longueurs, Simon avait soudain vu le premier de cordée japonais partir en arrière, les bras grands ouverts de stupeur. Derrière lui se dessinait un abîme de plus de sept cents mètres, bien visible malgré les nuages. Puis il y avait eu une violente secousse, le grimpeur s'était tordu sur lui-même, arrachant son compagnon à la paroi et le précipitant dans le vide. Le piton avait cédé et les deux hommes étaient tombés, liés l'un à l'autre.

Impuissant, Simon avait suivi cette scène avec horreur.

Jon, qui grimpait un peu plus haut, n'avait rien vu. Simon s'était dépêché de le rejoindre et de lui raconter la tragédie qui venait de se dérouler sous leurs pieds. Médusés, ils étaient restés un long moment immobiles sur la vire étroite. Qu'auraient-ils pu faire pour les Japonais ? Selon toute probabilité, ils ne survivraient pas à une telle chute. De toute façon, s'ils voulaient alerter les secours, la voie la plus rapide passait par le sommet et le versant italien.

Alors qu'ils se remettaient à grimper, un atroce hurlement leur parvint, un cri poussé par un homme au comble de l'épouvante. Deux cents mètres plus bas, les deux alpinistes, toujours encordés, glissaient sur le névé supérieur, prenant de la vitesse. Leur matériel, leurs sacs s'étaient éparpillés autour d'eux et roulaient à leurs côtés vers le précipice. Complètement désarmés, Simon et Jon n'avaient pu que regarder ces pantins désarticulés glisser inexorablement. Puis ils avaient disparu dans le gouffre.

En fait, l'un des grimpeurs avait survécu au choc sur le névé, et sa chute avait été enrayée, la corde ayant sans doute accroché une saillie de rocher – il n'était pas sauvé pour autant. Un hasard cruel lui avait ménagé quelques minutes de répit, un suspense insupportable, aussi bien pour lui que pour les spectateurs horrifiés. Quelques minutes pendant lesquelles il avait tenté désespérément de se retenir à quelque chose, de trouver un moyen de s'assurer. Mais, blessé comme il devait l'être, il n'avait aucune chance. Il avait dû lâcher prise, ou bien la corde avait glissé, peu importe ; le dénouement avait été brutal et sans appel.

Simon et Jon, très secoués, avaient continué vers le sommet, grimpant comme des somnambules. L'accident s'était déroulé avec une telle rapidité... Sans qu'une seule parole eût été prononcée, une certaine complicité s'était développée entre les cordées, au cours de ces heures de lutte avec la montagne. S'ils avaient tous les quatre atteint le sommet, ils auraient probablement fait connaissance, partagé leurs provisions et bu un verre ensemble dans la vallée, ensuite. Ils auraient même pu devenir amis.

Je me rappellerai toujours le retour de Simon dans le camping. Éteint, vidé, il ne cessait de répéter d'un air absent : « Pourquoi le piton a-t-il tenu quand je suis passé, alors qu'il a cédé sous le poids du Japonais ? » Mais le lendemain, il avait déjà surmonté son désarroi et relégué l'accident au rang de souvenir. Il fallait accepter, c'était dans l'ordre des choses.

Je me laissai glisser dans le sommeil, chassant ces images. Nous avions été à deux doigts de finir comme ces Japonais. Il n'aurait manqué que les spectateurs... Comme si cela pouvait faire une différence !

À côté de moi le réchaud ronronnait doucement. La face est du Yerupaja se découpait à travers une ouverture dans la paroi de la grotte. Le soleil ciselait les arêtes, en soulignant les contours, ourlant les cannelures d'ombres bleutées. Pour la première fois depuis quatre jours, je sentais une onde de bien-être m'envahir. Oubliée, notre lutte nocturne dans les ice-flutes ; effacé, le souvenir de nos angoisses de la veille. Je ne cherchais plus qu'à jouir pleinement de cette ascension dont j'étais fier. Seule l'envie de griller une bonne cigarette me tourmentait !

Nous étions terriblement à l'étroit dans cette grotte, mais au moins il n'y faisait pas trop froid. Couché sur le côté, Simon dormait encore, blotti contre moi. Je sentais la chaleur de son corps à travers le duvet. Malgré tout ce que nous avions vécu ensemble, cette intimité avait quelque chose d'insolite. Je bougeai le plus doucement possible pour ne pas le réveiller. Par la petite lucarne ronde, j'admirais le Yerupaja, un sourire aux lèvres. Une belle journée nous attendait.

Avec le petit déjeuner, nous avions épuisé notre dernière cartouche de gaz. Il nous faudrait attendre, pour boire, d'avoir atteint les lacs dans la moraine. Je me préparai et sortis me dégourdir les jambes sur l'emplacement de la grotte inachevée. Simon n'en finissait pas de se préparer, mais c'est seulement lorsqu'il émergea enfin que je repensai à ses doigts gelés. À la vue de ses mains, ma bonne humeur céda la place à l'inquiétude. L'une de ses phalanges avait noirci, trois autres doigts étaient blancs, durs et insensibles. Ses gelures ne me tracassaient pas tant pour l'immédiat que pour l'avenir. Allait-il pouvoir continuer à grimper ?

Assuré par Simon je me dirigeai vers l'arête inondée de soleil qui s'élevait à moins de trente mètres de nous. À ma grande déception, je découvris qu'elle continuait à dérouler ses corniches tourmentées. Finalement nous n'avions pas réussi à éviter le passage scabreux ; il devait être plus long que prévu. J'en fis part à Simon, qui décida de me suivre. Comme la veille, nous marcherions ensemble, tout en prenant soin de conserver entre nous une longueur de corde.

Nous avancions avec un grand luxe de précautions, pourtant nous ne pouvions nous empêcher de glisser et de tomber, ne contrôlant qu'à peine notre descente dans certains passages délicats.

L'arête n'en finissait pas de s'enrouler sur elle-même, parfois coupée de ressauts presque verticaux.

Résigné, je finis par oublier les risques permanents d'effondrement. De toute façon, nous n'avions pas vraiment le choix. Les ice-flutes de la face est présentaient un danger tout aussi important, si ce n'est plus, et la moindre chute serait fatale.

Dans les passages raides, j'avais beau me placer face à la pente, je glissais plus que je ne désescaladais. La neige fraîche n'offrait aucune résistance. J'enfonçais mes pieds profondément, mais dès que je transférais le poids de mon corps sur mes jambes, je partais en luge, le cœur battant. Car si je finissais toujours par m'arrêter, je savais que l'endroit où j'atterrissais n'était pas plus solide que celui d'où j'étais parti. Cette progression hasardeuse avait de quoi me rendre fou.

Je sentis de nouveau la neige se dérober sous mes pieds, mais cette fois je ne pus retenir un cri. La courte pente dans laquelle je me débattais aboutissait au bord de l'arête, dans un de ses replis. Juste en dessous de cette courbe s'allongeait une énorme corniche, qui débordait largement sur la face ouest. Simon était trop loin, il ne pouvait voir le tour qu'avait pris ma descente. J'étais emporté dans un torrent de neige fluide. Un faible cri s'étrangla dans ma gorge, pas assez puissant pour l'avertir. D'ailleurs il ne réalisa pas le danger et n'entendit absolument rien.

Puis, tout aussi brusquement, je m'arrêtai, àmoitié enfoui dans la neige, dans une position biscornue. Je n'osais pas bouger. Il me semblait que je ne tenais que par miracle, d'autant plus que des coulées continuaient à filer sous moi. J'aurais aimé pouvoir m'enfoncer dans la pente.

Au bout d'un long moment, je jetai un coup d'œil sur ma droite. J'avais atterri dans le creux de la courbe, sur le rebord même de l'arête, et comme j'avais légèrement basculé de côté, il me semblait que j'étais suspendu directement au-dessus du vide. La peur au ventre, je m'obligeai à ne surtout pas faire un seul mouvement. Je n'osai même pas respirer. Quand j'eus enfin le courage de regarder autour de moi, je réalisai que ma situation n'était pas si précaire que je l'avais cru tout d'abord. J'avais été l'objet d'une illusion d'optique. Les étranges circonvolutions de l'arête déformaient tellement les perspectives que j'avais eu l'impression de tomber droit vers le précipice. En réalité, ma jambe droite était passée à travers une corniche et j'avais pivoté de côté. Mon horizon avait basculé, ce qui expliquait mon erreur. Je jouai des pieds et des mains pour me rétablir sur la gauche, rampai dans la neige en essayant de dégager ma jambe droite. Je m'éloignai du bord et me remis à suivre les méandres de l'arête.

Simon apparut au-dessus de moi. Il avançait lentement, avec beaucoup de prudence. Je lui criai d'obliquer vers la gauche. J'avais les jambes en flanelle et j'étais agité de tremblements convulsifs tandis que Simon se tournait face à la pente et partait à son tour dans une glissade. Quand il se retourna pour venir vers moi, son visage était crispé. Cette journée n'offrait pas le plaisir escompté. La peur commençait à nous gagner. Notre angoisse se déversa en un torrent de paroles sans suite, entrecoupées d'imprécations, jusqu'à ce que, épuisés par ce débordement, nous ayons repris notre calme.

Désastre

Nous avions quitté la grotte à sept heures trente. Au bout de deux heures et demie d'une progression désespérément lente, nous avions perdu très peu d'altitude. La veille, au lieu de rejoindre le glacier dans la journée, comme nous l'avions prévu initialement, nous n'étions descendus que de trois cents mètres environ. L'impatience me gagnait. Je commençais à en avoir marre de l'intense concentration que nous imposaient les difficultés de l'arête. J'en avais plus qu'assez de cette montagne, mon seul désir était d'en finir avec elle. L'air était vif, le ciel lumineux, et sous un soleil implacable, ces étendues de neige et de glace resplendissaient d'une blancheur éblouissante. Mais je n'en avais cure. Tout ce qui m'importait pour l'instant, c'était d'atteindre le glacier avant le retour probable du mauvais temps.

Subitement, les méandres tortueux prirent fin, m'autorisant à marcher tout droit le long de l'arête qui s'élargissait et se perdait en ondulations, avant de plonger brusquement, plus loin vers le nord. Je décidai de m'accorder une pause, pour laisser à Simon le temps de me rattraper. Assis sur nos sacs, nous restions silencieux. La matinée nous avait épuisés, toute parole aurait été vaine. Là-haut nos traces divaguaient au hasard des sinuosités de l'arête. Je me jurai de porter désormais une attention particulière aux itinéraires de descente.

Je me levai et repris mon sac. Je pouvais aussi bien continuer en tête, cela n'avait guère d'importance maintenant, alors que dans les longueurs précédentes j'aurais préféré ne pas avoir cette responsabilité. Mais je n'avais pas osé demander à Simon de passer devant. Je craignais encore plus sa réaction qu'une autre glissade. Maintenant, une large selle s'étendait devant moi. Il s'y était formé une telle accumulation de neige que, toutes mes craintes envolées, je ne pensais plus qu'à l'épuisant travail qui m'attendait pour faire la trace.

J'arrivais en bout de corde et Simon se préparait à me suivre, lorsque je tombai dans la première crevasse.

D'un seul coup je me trouvai enfoncé jusqu'aux yeux dans une substance d'une telle inconsistance que plus je me débattais, plus je m'enlisais. Après bien des efforts, je finis tout de même par me hisser hors de ce trou, et j'aperçus Simon qui m'observait à distance respectable, un sourire narquois sur les lèvres. Quelques mètres plus loin, je m'enfonçai de nouveau, cette fois jusqu'au menton, et je dus encore jouer des pieds et des mains, en ajoutant quelques jurons bien sentis. Le temps de traverser seulement la moitié du petit plateau, et je m'étais englouti dans quatre crevasses. Quoi que je fasse, il m'était impossible de les déceler. Simon me suivait, une bonne longueur de corde en arrière. Il valait d'ailleurs mieux qu'il ne s'approche pas, j'aurais déversé toute ma colère sur lui.

Je m'extrayais péniblement du dernier trou quand, sous mes pieds, j'aperçus un abîme géant. Une lueur bleuâtre baignait les bords de la fissure. En me penchant légèrement, je pouvais voir les pentes vertigineuses de la face ouest. Je compris soudain la véritable raison de ces chutes successives. En fait, la selle neigeuse était formée d'énormes corniches surplombantes où courait une longue ligne de fracture. J'étais passé à plusieurs reprises à travers cette seule et unique crevasse... Je me mis rapidement en sécurité et j'avertis Simon. Devant ce véritable plateau, jamais je n'aurais imaginé qu'il puisse s'agir d'une grosse corniche. Elle était certainement aussi importante que celle du sommet, à la différence près qu'elle s'allongeait sur une bonne centaine de mètres. Si elle avait cédé, nous n'aurions eu aucune chance.

Après cet épisode, je veillai à maintenir une bonne distance entre le bord de l'arête et nous, respectant une marge de sécurité d'au moins quinze mètres. La veille, Simon se tenait à une dizaine de mètres de l'extrémité de la corniche lorsqu'elle s'était effondrée. Nous n'avions plus aucune excuse pour prendre des risques inutiles, car le versant est nous offrait maintenant une pente lisse dépourvue de cannelures. Enfonçant profondément dans la neige fraîche, je me traînai péniblement de ce côté jusqu'à un petit ressaut. Je pouvais voir que Simon avançait lentement, tête baissée. Il devait être aussi fourbu que moi. Je le perdrais de vue dès que j'aurais entamé la descente, de l'autre côté de cette butte.

À ma grande déception, la pente n'aboutissait pas au col. Elle remontait légèrement vers une petite élévation couronnée de corniches avant de plonger à nouveau, hors de vue. Pourtant j'apercevais une partie de l'arête sud du Yerupaja, ce qui tendait à prouver que le col ne se trouvait plus très loin, sans doute après ce dernier bombement. D'ici une demi-heure tout au plus nous devrions atteindre le point le plus bas de cette arête, qui courait du Yerupaja au Siula Grande. À partir de là, descendre jusqu'au glacier ne serait plus qu'un jeu d'enfant. Je me sentis soulagé.

Après le laborieux cheminement sur la selle, j'entamai la pente avec plaisir, et je m'y serais volontiers lancé à toute allure si je n'avais été retenu par la corde. Tout à ma joie, j'avais oublié que Simon, là-haut, continuait d'avancer péniblement dans mes traces.

Je n'avais pas pensé rencontrer d'obstacle majeur dans cette partie, aussi je découvris avec surprise que la pente se terminait de façon abrupte par un véritable mur de glace et de neige, qui s'enfonçait comme un coin dans l'arête. Je m'approchai du bord avec prudence. À l'endroit où je me tenais, c'est-à-dire à peu près au centre, la hauteur était d'environ huit mètres, mais de chaque côté, elle augmentait considérablement. En dessous, la pente s'inclinait fortement sur la droite avant de rejoindre un ultime ressaut. Je longeai le bord de la muraille à la recherche d'une ligne de faiblesse. La neige, trop fluide, ne supporterait jamais un pieu à neige, ce qui rendait tout rappel impossible.

J'avais le choix entre rester sur l'arête ou contourner le mur par une longue traversée en face est, une entreprise qui se révélait apparemment périlleuse et harassante. Nous serions obligés de faire un énorme détour en arc de cercle, descendre d'abord dans cette face très raide en neige instable, traverser, puis remonter un peu plus bas pour rejoindre l'arête. J'avais eu mon lot de glissades pour aujourd'hui, et la vue des quelque mille mètres d'à-pic ne pouvait que me conforter dans ma décision. Par là nous n'aurions strictement aucun moyen d'enrayer une chute, alors que sur l'arête nous pouvions encore croire qu'avec un peu de chance nous aurions le temps de sauter chacun de notre côté.

Je retournai sur mes pas, avec l'intention de désescalader le mur. Sous mes pieds, il tombait verticalement, recouvert d'une épaisse couche de poudreuse. Il me fallait trouver un défaut dans la cuirasse, une rampe ou une brèche, ce qui me permettrait de prendre appui solidement sur la glace sous-jacente. Enfin je trouvai une petite faille qui s'enfonçait dans le mur, juste dans la partie la moins raide et la moins haute. Je devais pouvoir en venir à bout en quelques rapides mouvements.

Face à la pente, je m'accroupis sur le bord, mes piolets profondément enfoncés dans la neige, puis, doucement, je me laissai glisser jusqu'à ce que les pointes avant de mes crampons rencontrent une surface dure. Quand je sentis qu'ils avaient bien mordu, je ramenai mon piolet près du bord afin de pouvoir descendre plus bas, et désancrai mon marteau-piolet. Suspendu par une main, je me laissai couler, millimètre par millimètre. Arrivé au niveau de la glace, je tentai d'ancrer mon marteau-piolet de la main gauche. Je martelai la paroi et sentis qu'il mordait. J'hésitais un peu. Je voulais pouvoir faire totalement confiance à mon ancrage avant de lui confier tout mon poids. Je n'étais pas certain qu'il fût enfoncé assez solidement et je décidai de recommencer l'opération.

À l'instant précis où la pointe sortait de la glace, j'entendis un craquement sec et ma main droite, crispée sur le manche du piolet, partit en arrière. Là-haut mon point d'appui avait cédé – je me sentis tomber.

Je m'écrasai sur la pente qui s'incurvait à la base du mur. Dans la position où je me trouvais, mes genoux encaissèrent violemment le choc. J'eus l'impression qu'ils explosaient et poussai un hurlement. Sous l'impact, je fus projeté en arrière et je partis sur le dos, tête la première, en direction de la face est. Je filai à toute vitesse, à demi étourdi. La pensée de l'à-pic vers lequel je me dirigeais n'éveillait en moi aucune sensation. Simon serait arraché à la montagne, il ne pourrait jamais me retenir. Soudain je m'arrêtai, si brutalement qu'un cri m'échappa.

Un grand calme régnait autour de moi tandis que mes pensées tourbillonnaient à une allure folle. Puis une atroce flamme de douleur envahit ma cuisse, affluant dans l'aine avec une telle intensité que je me remis à hurler. J'en avais le souffle coupé. Ma jambe ! Oh, bon Dieu ! Ma jambe !

J'étais accroché dans la pente, tête en bas, une jambe entortillée dans la corde, l'autre pendant sur le côté. Je jetai un coup d'œil sur ma jambe droite. Le genou formait un angle bizarre, ce qui donnait à l'ensemble une apparence pour le moins biscornue. Sur le moment, je ne fis pas la relation entre cette déformation et la douleur qui me déchirait l'aine. Quel rapport avec mon genou ? Je dégageai ma jambe gauche de la corde, ce qui me permit de pivoter dans la pente, et je me retrouvai couché dans la neige, sur le ventre, les pieds vers le bas. Immédiatement la douleur s'atténua. J'enfonçai mon pied gauche dans la neige et entrepris de me relever.

Un haut-le-cœur me submergea et je m'effondrai. Le froid me réveilla. Une pensée terrible, lourde d'angoisse, s'infiltrait dans mon esprit, et plus j'y pensais, plus la panique m'étreignait : « Je me suis cassé la jambe, cette fois ça y est ! Je suis foutu... Tout le monde nous avait avertis : dans une cordée de deux, une simple fracture de la cheville peut devenir fatale... Si c'est cassé... si... Après tout, je me suis peut-être simplement déchiré un muscle... »

Pour me prouver que j'avais raison, je tapai mon pied contre la pente. Mon genou éclata littéralement, des os craquèrent et la douleur irradia dans toute la jambe. Je hurlai. Je devais me rendre à l'évidence, il était bel et bien brisé. Pourtant je refusais encore d'admettre toute la vérité, non seulement qu'il était brisé, mais réduit en miettes, complètement distordu : il n'y avait qu'à voir la protubérance qui se dessinait au niveau de la jointure. Sous la violence du choc, le tibia avait dû traverser l'articulation du genou.

Bizarrement, je réagis plutôt positivement à cette observation. Je m'étais glissé dans la peau de quelqu'un qui ferait une étude clinique de routine sur une malade anonyme.

J'essayai de bouger mon genou, de le plier aussi doucement que possible, mais la douleur me laboura la jambe. J'avais senti un crissement à l'intérieur. L'os avait bougé, et des tas d'esquilles et de fragments autour. En tout cas, il ne s'agissait pas d'une fracture ouverte, je ne voyais pas trace de sang. Je tâtai mon genou, déclenchant de nouvelles vagues de douleur, afin de vérifier que je ne saignais pas. Rassuré, j'observais ma jambe. Elle était énorme, tordue, un objet étrange qui ne m'appartenait plus. Elle était parcourue d'élancements, et j'imaginais que ces pointes de feu travaillaient à la guérir.

Je me laissai aller en arrière, les yeux clos, en gémissant. Je serrai les paupières et des larmes roulèrent sur mon visage. Je ne pleurais pas de souffrance, je pleurais sur moi-même, comme un enfant perdu, et les larmes coulaient de plus belle. La mort m'avait toujours paru si lointaine, voilà qu'elle rôdait autour de moi. Je secouai la tête pour arrêter mes larmes, sans parvenir à chasser cette menace.

Je plantai mes piolets dans la neige et enfouis profondément ma jambe valide pour ne pas glisser. Une nausée m'envahit à nouveau et je fus pris d'un étourdissement. Le mouvement le plus simple déclenchait d'intolérables élancements. Paradoxalement, la douleur me donna un coup de fouet. Là-bas vers l'ouest se profilait le sommet du Seria Norte, pratiquement à la même altitude que nous. De sombres pensées revinrent m'assaillir. Notre ascension avait bien mal tourné. Nous nous trouvions à 5 800 mètres, complètement seuls sur cette terrible arête. Je regardai la petite élévation que j'avais pensé atteindre si rapidement – elle me paraissait maintenant hors de portée. Jamais je n'y arriverais seul, et Simon ne pouvait pas me traîner jusque-là. Il serait obligé de m'abandonner, c'était le seul choix qui lui restait. À cette idée, je ressentis un violent coup au cœur. Me retrouver seul ici ? Un grand frisson glacial me parcourut. Je repensai à Rob, qu'on avait laissé mourir... Mais Rob avait déjà perdu conscience, il était mourant. Moi je n'avais qu'une jambe blessée ! Et aucun moyen d'en finir rapidement... Je me sentais couler dans un puits sans fond. Et puis un sentiment de révolte prit le dessus, j'aurais voulu protester, hurler, mais pas un son ne sortit de ma gorge. Si j'ouvrais la bouche, la panique me submergeait. Encore un peu, et j'allais y céder.

Je sentis que la tension sur la corde se relâchait. Simon arrive ! Il se doute bien qu'il est arrivé quelque chose, mais qu'est-ce que je vais lui dire ? Et si je lui raconte que je me suis fait mal à la jambe, sans mentionner la fracture, m'aidera-t-il plus facilement ? L'affolement me gagnait. Le visage dans la neige, j'essayais de reprendre mes esprits. S'il me trouve dans cet état de panique frisant l'hystérie, il va laisser tomber tout de suite ! Je me forçai à contrôler mon angoisse avec des paroles raisonnables. Peu à peu ma respiration reprit son rythme normal, même la douleur semblait supportable.

– Que s'est-il passé ? Ça va ?

Surpris, je levai la tête. Je ne l'avais pas entendu arriver. Perché en haut de la muraille de glace, il me scrutait d'un air perplexe. L'air de rien, j'annonçai d'une voix posée :

– Je suis tombé, le rebord a cédé.

Une pause, puis j'ajoutai, d'un ton neutre :

– Je me suis cassé la jambe.

Immédiatement son visage changea d'expression. Je ne le quittais pas des yeux, je ne voulais rien manquer.

– Tu en es sûr ?

– Absolument.

Il posa sur moi un long regard insoutenable, puis il se détourna brusquement. Mais j'avais eu le temps de voir passer dans ses yeux une expression fugitive. Je savais ce qu'il pensait et son air détaché m'agaça, comme si une cassure s'était produite entre nous et qu'il me rejetait. Sur son visage j'avais lu de la pitié et plus encore. Il me repoussait, comme on repousse un animal blessé pour lequel on ne peut rien. Il s'en était rendu compte et cherchait à me le cacher, mais trop tard ; je me détournai, empli d'angoisse et d'inquiétude.

– Je vais descendre en rappel.

Il me tournait le dos, occupé à placer un pieu à neige. Il agissait tout à fait normalement, et je commençai à me demander si, finalement, je ne sombrais pas dans la paranoïa.

Je m'attendais à ce qu'il ajoute quelque chose, mais il demeura silencieux, et je m'interrogeai sur le tour que pouvaient prendre ses pensées. Un rappel très court, mais particulièrement risqué vu l'assurance précaire, et il m'avait rejoint. Il resta un moment debout à côté de moi, sans un mot, promenant un long regard sur ma jambe, sans faire aucun commentaire. Il fouilla dans son sac et me tendit deux comprimés de paracétamol, puis il repartit vers le mur pour rappeler sa corde. Elle ne bougea pas d'un pouce. Elle avait dû se coincer dans le champignon de neige destiné à consolider son ancrage. En maugréant, il se dirigea vers le fil de l'arête, là où le mur était le moins élevé. Une épaisse couche de neige instable le rendait extrêmement dangereux, mais il n'avait pas le choix. Je détournai les yeux. Le spectacle était insoutenable… Il allait tomber dans la face ouest et je resterais seul. Cela signerait mon propre arrêt de mort, sauf que la mienne serait plus lente.

Simon ne m'avait pas fait part de ses intentions, pas plus que je n'avais osé lui suggérer quoi que ce soit. En un clin d'œil un immense fossé s'était creusé entre nous ; déjà nous ne formions plus une véritable cordée.

Joe avait disparu derrière une ondulation de la crête, et il avait accéléré l'allure, à tel point que j'avais du mal à le suivre. J'étais heureux que nous ayons enfin dépassé la partie raide, j'avais bien cru que ma dernière heure était arrivée sur cette arête. Toutes ces chutes au-dessus du précipice de la face ouest ! Ces péripéties m'avaient épuisé, et j'étais content de pouvoir suivre Joe au lieu de faire la trace.

Lorsque je sentis qu'il s'était arrêté, j'en profitai pour me reposer un instant. Manifestement, il avait rencontré un obstacle. J'attendrais sur place qu'il ait repris sa progression. Un mouvement agita la corde et je me remis lentement en route. Brusquement, la corde se tendit violemment et je fus tiré sur plusieurs mètres. Vite, j'enfonçai mes piolets dans la neige et me ramassai sur moi-même dans l'attente d'une autre secousse. Mais rien ne se passa. À l'évidence Joe était tombé, mais comme je ne le voyais pas, il valait mieux ne pas bouger pour l'instant. Au bout de dix minutes, la tension se relâcha. Je suivis ses traces, tous mes sens en alerte, prêt à planter mes piolets à tout instant.

Du haut du promontoire, je vis la corde qui filait devant moi puis disparaissait brusquement. Je m'approchai avec circonspection. En me penchant au bord du mur de glace, j'aperçus Joe, plus bas, allongé sur la pente, le visage dans la neige. Je le hélai, et il leva la tête d'un air surpris. Je savais qu'il devait être blessé, sans penser plus loin. Il me dit très calmement qu'il s'était cassé la jambe. Devant son air pathétique, ma première réaction fut totalement dépourvue d'émotion. T'es foutu, mec. Tu es mort… Il n'y a pas d'autre issue ! Il le savait parfaitement. Je pouvais le lire sur son visage. C'était la logique même, dans notre situation. J'avais vite fait le tour de la question, il n'avait aucune chance de s'en sortir. Je n'envisageai pas un seul instant que je puisse mourir aussi. J'acceptai comme un fait acquis l'idée que je pouvais redescendre seul. Il n'y avait aucun doute possible.

Je vis tout de suite comment Joe était tombé. À moins d'arriver à poser un rappel, je serais obligé d'utiliser la même méthode. Je déblayai la neige de surface, décidément trop inconsistante, puis j'enfonçai un pieu le plus loin possible. Comme je n'avais pas vraiment confiance, j'entrepris de consolider mon ancrage avec une espèce de rempart de neige, puis je revins au bord du mur et tirai sur la corde de toutes mes forces. Ça avait l'air de tenir, pourtant j'hésitais encore, je pouvais peut-être désescalader le mur à son point le plus bas. Non, ce n'était sans doute pas la bonne solution ; et je me décidai à descendre, moitié en rappel, moitié en désescalade, afin de soulager en partie la corde que je sentais pénétrer dans mon rempart de neige.

Quand je m'approchai de Joe, je vis que sa jambe avait une drôle d'allure. Il paraissait souffrir énormément. Malgré son air calme, une profonde détresse se lisait au fond de ses yeux, celle d'une bête traquée. Je lui donnai des cachets contre la douleur, qui ne seraient sans doute pas très efficaces. À l'emplacement du genou, la jambe était tordue, difforme, une grosse boursouflure apparaissait nettement malgré l'épaisseur du pantalon. La fracture devait avoir vraiment mauvaise mine.

Je ne trouvais rien à dire ; tout avait basculé si vite. Ma corde ne voulait pas coulisser, ce qui signifiait que je devais remonter pour la récupérer. Dans un sens, cet incident me permettait d'éluder le véritable problème, de prendre un peu de recul par rapport à cette situation imprévue. Il allait falloir que j'escalade le mur de glace, en solo, et en plein sur l'arête. Il y avait largement de quoi me préoccuper ! Joe tenta de se mettre debout, à côté de moi. Il faillit s'écrouler et je le rattrapai de justesse. Il ne dit pas un mot. Il s'était décordé pour que je puisse descendre en rappel, et il savait très bien que si je ne l'avais pas retenu il aurait probablement dévalé toute la face est. Je m'éloignai de lui ; instantanément, il sortit de mon esprit.

Jamais encore je n'avais affronté une escalade aussi difficile, et surtout aussi dangereuse. Mes jambes s'enfonçaient dans une matière pulvérulente, traversant parfois cette couche sans consistance pour ne rencontrer que le vide. À mi-hauteur, je réalisai qu'il me serait impossible de rebrousser chemin. Pourtant, je n'arriverais pas à atteindre le haut du mur dans ces conditions... J'avais l'impression de grimper sur un fragile nuage. La paroi s'effritait sous mes doigts, cédait sous mes pieds, elle s'effondrait à mon passage et des coulées de neige partaient derrière moi dans la face ouest. Malgré tout, il me semblait que je m'élevais peu à peu. La lutte, éprouvante, me parut interminable. Je finis par émerger sur la pente supérieure, exténué, tremblant, et je dus m'arrêter avant d'aller plus loin, le temps de reprendre mon sang-froid.

Jetant un regard vers Joe, je vis avec stupéfaction qu'il était en train de s'éloigner du mur de glace. Il avait entrepris de contourner le monticule qui s'élevait en avant de nous sur l'arête. Enfonçant ses piolets si profondément que ses bras disparaissaient aussi dans la neige, il se balançait de côté d'une façon assez effrayante, ne progressant que de quelques centimètres à chaque fois. La tête penchée, il se traînait en travers de la pente, luttant pour sa survie, complètement étranger à ce qui l'entourait. Derrière lui, la face est plongeait d'un seul élan jusqu'au glacier. Je ne ressentais aucune émotion particulière. Je ne pouvais rien pour lui, et même si, selon toutes probabilités, il allait glisser, dévaler la pente et se tuer, je l'observais avec un certain détachement. Dans un sens, j'espérais presque qu'il tomberait. Je ne pourrais jamais l'abandonner tant qu'il était capable de lutter, pourtant je me sentais impuissant à lui venir en aide. D'autre part, je savais que, seul, j'avais toutes les chances de m'en sortir, alors que si je tentais de le tirer de là, nous risquions fort d'y rester tous les deux. Je n'avais pas peur de mourir sur cette montagne, mais cela me paraissait absurde. Et je le suivais du regard, guettant une chute...

Enfin, je me dirigeai vers le pieu à neige, que je replaçai tant bien que mal, le suppliant de supporter mon poids. Une fois en bas, je lui adressai une prière muette avant de tirer la corde... Elle vint du premier coup. Je me retournai, presque certain que Joe aurait disparu. Il continuait à avancer au même rythme, un peu plus loin. Pendant tout ce temps, il n'avait couvert qu'une quarantaine de mètres à peine. Je lui emboîtai le pas.

Simon apparut soudain à mes côtés. J'avais évité de le regarder tant qu'il était aux prises avec la muraille de glace. J'avais trop peur qu'il tombe, et de toute façon cela ne servait à rien d'attendre, il valait mieux avancer. Comme je savais que je n'arriverais pas à me traîner jusqu'en haut du monticule, je décidai de le contourner. On verrait bien ensuite. Je n'avais jeté qu'un coup d'œil en direction de Simon qui continuait à se battre avec la neige, et j'avais entamé une progression hésitante. Je me traînais péniblement, lentement, mais cela me demandait une telle concentration que j'en arrivais presque à ignorer la douleur. Il ne s'agissait guère que d'un inconvénient supplémentaire, une difficulté comme les autres. J'avais déjà tant à penser – comment garder l'équilibre avec une seule jambe, la pente, les conditions de la neige... J'ébauchai quelques sautillements chancelants, peu efficaces, mais bientôt je fis preuve d'une meilleure coordination de mes gestes, une séquence de mouvements très précis commençait à s'esquisser. Pour chaque pas je répétai cet enchaînement avec une précision méticuleuse, me concentrant totalement sur ma progression, oubliant tout le reste. Je ne m'arrêtai qu'une seule fois, pour regarder dans la direction de Simon. J'eus l'impression qu'il était sur le point de tomber, et je détournai rapidement les yeux. Sous mes pieds, j'apercevais l'à-pic sans fond de la face est, et je me laissais aller à penser que, peut-être, je survivrais à une chute. Pourtant je savais pertinemment que, bien que la pente fût relativement lisse, la vitesse suffirait à disloquer mon corps largement avant le glacier. J'imaginais cette glissade, mais de façon purement abstraite, sans émotion, sans peur non plus. C'était une conséquence logique, et il n'y avait pas à revenir dessus. Cela devait arriver, à un moment ou à un autre.

Simon me dépassa et se mit en devoir de piétiner la neige pour me faire un chemin. Puis il disparut un peu plus loin, là où la pente s'incurvait légèrement. Il me cria qu'il allait examiner le terrain en avant. Aucun de nous n'avait évoqué la situation – sans doute parce que nous pensions qu'elle était sans issue. Je me remis en marche, répétant mécaniquement les mêmes gestes. Le chemin de Simon me facilitait la tâche, mais je devais malgré tout prêter la plus grande attention au moindre mouvement. Je réalisai soudain que nous avions éludé le fond du problème. Depuis plus de deux heures, nous agissions comme s'il ne s'était rien passé, observant un silence tacite. Sans doute avions-nous besoin d'un peu de temps, car la vérité nous sautait aux yeux. J'étais blessé et j'avais peu de chances de m'en tirer, alors que, tout seul, Simon pouvait atteindre le bas de la paroi. Plein d'anxiété, je guettais ses réactions, comme si ma vie ne tenait qu'à un fil, fragile et délicat. Si je formulais ma demande, je risquais de briser ce lien ténu. Si je le questionnais sur ses intentions, peut-être serait-il tenté de m'abandonner. Je gardai le silence. Je n'avais plus peur de céder à la panique. J'analysais froidement les choses.

Les séquences de mouvements s'enchaînaient maintenant sur un rythme automatique. Je fus surpris d'entendre la voix de Simon, qui me demandait comment j'allais. J'avais oublié sa présence. J'avais oublié pourquoi je répétais ces gestes, et depuis combien de temps. Je levai la tête. Simon, assis dans la neige, observait ma progression. Je lui adressai un sourire, mais celui qu'il me renvoya ressemblait plus à une grimace. Il masquait mal son anxiété. Derrière lui j'apercevais l'arête ; nous avions presque contourné le monticule.

– Je vois le col, dit-il. Une vague d'espoir me traversa, comme une violente rafale.

– Et ça va ? Je veux dire, c'est direct ? J'essayais de ne pas laisser paraître l'excitation qui m'avait saisi.

– Plus ou moins...

J'accélérai l'allure, autant que je pus. Tout à coup, la peur me gagna à la vue de la pente qui fuyait sous moi. Je me mis à trembler, comme lorsque je m'étais persuadé que je n'atteindrais jamais l'endroit où je me tenais en ce moment. Quand je l'eus rejoint, je m'écroulai dans la neige, et Simon posa la main sur mon épaule.

– Comment te sens-tu ?

– Mieux. C'est douloureux, mais... Des mots inutiles, qui sonnaient creux. L'intérêt qu'il manifestait à mon égard m'inquiétait plutôt ; je me demandais ce que cela cachait. Peut-être ne cherchait-il qu'à faire passer le message en douceur.

– Je suis fichu, Simon... Jamais je n'y arriverai à cette allure.

Si j'attendais une réponse, elle ne vint pas. De façon quelque peu mélodramatique, mes paroles soulevaient une question cruciale. Il fit mine de l'ignorer et se mit à détacher les cordes de son baudrier.

Le col se trouvait à moins de deux cents mètres, au bout d'une longue descente légèrement incurvée sur la droite. J'échafaudais déjà des plans. Une descente en diagonale, en traversant la ligne de pente, me poserait plus de problèmes qu'une descente directe. Une fois que je serais au niveau du col, une petite traversée à l'horizontale me permettrait de l'atteindre assez facilement.

– Penses-tu pouvoir supporter mon poids, avec cette neige ? Simon avait utilisé le dernier pieu à neige dans le mur de glace. Il serait donc obligé de me faire glisser dans la pente à bout de bras, sans aucune assurance.

– Si on creuse un gros baquet dans lequel je puisse m'asseoir, ça devrait marcher. Et si je sens que le siège s'effondre, je t'appelle, et tu t'arranges pour alléger la corde.

– D'accord. On gagnerait du temps en nouant les deux cordes bout à bout, tu ne crois pas ?

Il acquiesça. Il creusait déjà le trou qui lui servirait de relais. J'attrapai les cordes, fis un nœud et fixai une extrémité à mon baudrier. Nous étions maintenant encordés à cent mètres. Il pourrait ainsi me descendre sur deux longueurs d'un seul coup, et donc creuser deux fois moins de relais. Grâce au descendeur, il serait à même de contrôler la vitesse de descente et d'éviter les secousses au maximum. Mais nous n'avions pas pensé au nœud. Il faudrait sortir la corde du descendeur et la remettre en place de l'autre côté du nœud. Pendant que Simon effectuerait cette opération, je devrais prendre appui dans la pente afin de supprimer la tension sur la corde. Grâce au ciel je ne m'étais brisé qu'une seule jambe...

– Ça y est. Tu es prêt ?

Simon s'était bien calé au fond de son relais, les jambes solidement ancrées dans la neige.

– Oui. Fais coulisser régulièrement. Et crie si quelque chose ne va pas.

– Je n'y manquerai pas ! Et si tu ne m'entends pas quand j'arriverai au nœud, je donnerai trois petits coups à la corde.

– D'accord.

Je me mis à plat ventre dans la pente, sous les pieds de Simon, me laissant glisser doucement jusqu'à ce que tout mon poids porte sur la corde. Pourtant je n'arrivais pas à me laisser aller complètement. Je craignais que le siège s'effondre, nous entraînant tous les deux. Simon me fit un signe de la tête, assorti d'un sourire. Encouragé par son attitude, je levai légèrement les pieds et commençai à glisser dans la neige. Notre système fonctionnait à merveille ! Il laissait filer la corde, sans heurts, et je descendais doucement, un piolet dans chaque main, prêt à les enfoncer à la moindre amorce de chute. Je n'arrivais pas à soulever correctement ma jambe blessée, et parfois les pointes du crampon s'accrochaient dans la neige, provoquant de violentes décharges de douleur qui m'arrachaient des gémissements. J'essayais de ne pas crier. Je ne voulais surtout pas que Simon arrête.

Au bout d'un temps qui me parut très court, la corde s'immobilisa. Je n'apercevais plus que la tête et les épaules de Simon, tout là-haut. Il criait, mais ses paroles se perdaient dans le vent. Trois coups me dirent clairement ce que je n'avais pas compris. Comparé au temps que m'avait demandé la traversée sous l'arête, la vitesse de cette descente me stupéfiait. Cinquante mètres déjà ! Je ne pus réprimer un petit rire nerveux. J'étais soudain passé du plus profond désespoir à l'optimisme le plus fou. La mort s'éloignait de moi, elle n'était plus omniprésente et je la reléguai au rang de vague possibilité. Je pris appui sur ma bonne jambe. J'avais parfaitement conscience qu'à ce moment même, nous étions extrêmement vulnérables. Si par hasard je glissais, Simon, pris de court, n'aurait pas le temps de réagir et le choc l'arracherait à la montagne. J'enfonçai profondément mes piolets dans la pente et ne bougeai plus. Le col s'était sensiblement rapproché. Trois secousses; j'entamai les cinquante mètres suivants.

Je fis signe à la petite silhouette rouge et bleue, la vis se lever, se retourner et se mettre à descendre, tapant solidement ses pieds dans la neige. La corde dessinait déjà une légère courbe à côté de moi. Je décidai de creuser dans la pente un siège profond, de façon à ce que Simon ait une bonne assise. Satisfait, je levai la tête. Il arrivait rapidement.

La seconde partie de la descente fut bien vite avalée, notre système fonctionnait parfaitement et le moral remontait en flèche. Une seule ombre au tableau: le temps se détériorait de nouveau. De gros nuages s'amoncelaient à l'est, et déjà des écharpes de brouillard s'infiltraient au niveau du col. Le vent soufflait de plus en plus fort, balayant la neige sur la paroi, et des aigrettes blanches s'effilochaient sur les reliefs de la face ouest. La température descendait au fur et à mesure que le vent augmentait en intensité. Il me cinglait le visage, me gelant le nez et le menton. Je ne sentais plus mes doigts.

Nous étions maintenant presque à hauteur du col, il nous restait à effectuer une traversée à l'horizontale.

– Je passe devant, je vais préparer le terrain.

Il n'attendit pas ma réponse. Je le regardai s'éloigner, ressentant de façon aiguë la fragilité de ma position. Le col paraissait encore si loin ! Fallait-il se décorder ? La raison me soufflait que la corde ne servait à rien. Si je tombais, Simon n'arriverait pas à me retenir et je l'entraînerais dans ma chute. Mais ce lien m'apportait un tel réconfort que je ne parvenais pas à m'en séparer. Je risquai un coup d'œil dans la direction du col. Incroyable ! Simon l'avait déjà atteint, et pourtant trente mètres à peine nous séparaient. La lumière déclinante avait faussé mon appréciation des distances.

– Viens !

Sa voix me parvint, portée par le vent.

– Je tiens la corde.

Une légère traction à la taille me prouva qu'il m'assurait vraiment. Il pensait sans doute sauter sur l'autre versant si jamais je perdais pied – il n'y aurait pas d'autre moyen d'enrayer une chute. J'amorçai un sautillement de côté, mais mon pied se prit dans la neige et je faillis perdre l'équilibre, imprimant à mon genou une atroce secousse qui me fit venir les larmes aux yeux. Je me reprochai amèrement ce manque d'attention. La séquence de mouvements que j'avais expérimentée plus haut se remit en place presque d'elle-même, et bientôt j'avançai régulièrement, de cette démarche de crabe. Quand je ne pouvais pas lancer ma jambe de côté, je la soulevais et la traînais le long de la tranchée que Simon avait préparée, et je recommençai. Ma jambe m'apparaissait comme une chose inanimée, un objet inutile et encombrant. Parfois elle me gênait ou me faisait mal, alors je l'envoyais au diable, je la repoussais de côté comme s'il s'était agi d'une simple chaise sur laquelle je venais de trébucher.

Le col était balayé par le vent, mais pour la première fois notre regard embrassait tout le versant ouest. Presque mille mètres plus bas, le glacier que nous avions remonté cinq jours plus tôt s'incurvait en direction des moraines. Nous n'étions pas au bout de nos peines, mais notre tâche serait simplifiée puisqu'il ne s'agissait plus que de descendre, à partir de maintenant. Le désespoir qui nous avait envahis sur l'arête n'était plus qu'un mauvais souvenir. En atteignant le col nous avions franchi un cap – la moindre difficulté aurait été insurmontable.

– Quelle heure est-il ? demanda Simon.

– Tout juste quatre heures. Il ne nous reste pas beaucoup de temps, hein ?

Il semblait soupeser nos chances. Les nuages recouvraient la montagne et, sous le col, le vent soulevait des tourbillons de neige à tel point qu'il était impossible de savoir s'il neigeait ou non. Nous n'avions pas fait halte bien longtemps, pourtant nous étions déjà complètement gelés. J'aurais préféré entamer la descente tout de suite, mais la décision revenait à Simon.

– Il vaut mieux ne pas s'attarder ici, dit-il enfin. Ça ira ?

– Oui, allons-y. Je suis transi.

– Moi aussi, je ne sens plus mes mains.

– On peut construire un abri, si tu préfères.

– Non. On n'atteindra pas le glacier avant la nuit, mais c'est tout droit à partir d'ici. Il vaut mieux perdre de l'altitude d'abord.

– Tout à fait d'accord. Le temps m'inquiète un peu.

– Moi aussi. Bon, je vais te descendre d'ici. On devrait obliquer vers la droite, mais tu n'y arriveras pas. On n'a qu'à tenter notre chance tout droit.

Je me laissai glisser dans la face ouest tandis que Simon, au col, se ramassait sur lui-même pour mieux tenir le coup. Une première coulée de neige me recouvrit, me repoussant violemment en arrière. Je criai à Simon de ralentir le mouvement, mais déjà le vent recouvrait ma voix.

La décision

Je me mis à creuser comme un fou. Cette première longueur, sous le col, faisait renaître mes inquiétudes. Je n'étais plus qu'un poids mort et malgré tous mes efforts pour me diriger, il m'avait été impossible d'obliquer vers la droite.

Le relief de la paroi offrait des conditions sensiblement différentes de celles que nous avions rencontrées plus haut et Simon laissait maintenant filer la corde beaucoup plus rapidement. Nettement trop à mon goût, mais il n'avait pas modifié l'allure malgré mes protestations éloquentes. Je m'époumonais en vain. Les paroles se perdaient dans le vent et la neige. Il valait mieux que je m'applique à éviter les chocs dans la mesure du possible. La tâche se révélait difficile. J'essayais désespérément de me tourner de côté, mais mes crampons s'accrochaient sans cesse dans la neige en provoquant de brusques secousses. Des ondes de douleur me transperçaient le genou, me coupant le souffle. Je ne pouvais m'empêcher de sangloter et de hurler, après le vent et la neige et Simon. La descente prit fin, et le signal m'avertit que je me trouvais en bout de corde. J'enfonçai mes piolets dans la neige et, prenant appui sur ma jambe gauche, je m'affalai contre la pente, respirant profondément pour chasser la souffrance. Les élancements disparurent lentement tandis que s'installaient une douleur sourde et une insidieuse fatigue.

Les trois coups, déjà... La descente reprit, et les terribles secousses, impossibles à éviter. Je n'en pouvais plus, et mes cris ne servaient à rien. Il fallait bien que quelqu'un porte la responsabilité de cette torture... Que Simon aille donc au diable ! Cette descente infernale n'allait-elle donc jamais prendre fin ? On aurait dit que la corde avait doublé de longueur.

L'inclinaison de la pente avait considérablement augmenté. À tel point que j'étais tenté de croire que Simon ne contrôlait plus la situation. Son siège n'était-il pas en train de s'effondrer ? Crispé, je m'attendais à ce qu'une soudaine accélération me fasse comprendre qu'il avait été arraché de son relais, que nous entamions une descente sans fin.

Pourtant rien de tel ne se passa et l'horrible glissade cessa. Trois légères secousses agitèrent la corde tendue, et je posai ma jambe. Une vague de douleur et de nausée me submergea mais une gifle glacée m'empêcha de perdre connaissance. À plusieurs reprises mon pied s'était pris dans la neige et mon genou avait subi une brusque torsion latérale, avant de revenir en place dans un affreux craquement de cartilages broyés, tandis que la douleur atteignait son paroxysme. J'avais à peine le temps de reprendre mon souffle que mon crampon raclait de nouveau. Ma jambe était maintenant agitée d'un tremblement convulsif, et plus j'essayais de le stopper, plus le mouvement devenait incontrôlable. Le visage enfoui dans la neige, je serrai les dents et ma jambe finit par se calmer.

Simon avait entamé la descente, je le savais car la corde se déroulait à côté de moi au rythme de sa progression. Je levai la tête, mais on ne distinguait absolument rien. La pente s'était voilée sous des écharpes de neige, une neige qui tourbillonnait dans tous les sens. Sans doute avait-elle commencé à tomber en abondance. Vers le bas, la visibilité était tout aussi limitée.

Je me mis à creuser un trou pour Simon. Ce travail me réchauffait et me faisait oublier ma jambe. Quand je regardai de nouveau, il n'était plus qu'à quelques mètres au-dessus de moi.

– À cette allure, nous devrions atteindre le glacier vers neuf heures ce soir, dit-il joyeusement.

– J'espère.

Je n'ajoutai rien. Je n'allais pas me lancer dans la description de mes souffrances.

– Bon, allons-y. Il était enfoui dans son trou, les cordes toutes prêtes.

– Tu ne prends pas le temps de respirer ?

– Pas besoin d'attendre. Allez !

Son sourire confiant était contagieux. Et je pensai : « Qui donc a osé prétendre qu'un homme ne peut en sauver un autre ? » Notre ascension avait tourné à la survie, mais même dans cette situation inhabituelle, chacun de nous avait continué à jouer son rôle au sein de la cordée. Après un moment d'incertitude, au lieu de nous polariser sur l'accident, nous avions mobilisé nos énergies et peu à peu une véritable opération de sauvetage s'était mise en place.

– Je suis prêt !

Je m'étais allongé sur le côté.

– Ralentis le mouvement cette fois, sinon tu vas m'arracher la jambe.

Mais il n'avait pas dû m'entendre, car il me descendit encore plus vite et la torture reprit, avec des raffinements.

Mon bel optimisme s'était envolé et je m'abandonnai à la souffrance, obsédé par le prochain arrêt qui semblait ne jamais devoir arriver. Un répit bien trop court, et la descente reprit.

Appuyant mes mains contre la pente, je tentai vainement d'éloigner mon corps de la paroi. Mes piolets dansaient contre ma poitrine, et mes mains, enfoncées dans la neige, devinrent rapidement insensibles. Mais cela n'évitait pas les chocs. J'essayai de soulever ma jambe, mais les muscles ne m'obéissaient plus. Elle pendait sous moi, une chose morte et inutile qui ballottait hors de tout contrôle, se cognant et se tordant en tous sens, me causant d'intolérables brûlures. Résigné, je me laissai aller contre la pente en sanglotant. L'abominable descente continuait ; éperdu de souffrance, j'en oubliais qu'elle finirait bien par s'arrêter. Débordant de la région du genou, la douleur remontait sournoisement, se propageant dans tout mon corps, s'infiltrant jusque dans les moindres recoins de mon esprit comme si elle voulait attirer mon attention à tout prix, comme si elle voulait me forcer, enfin, à entendre son message – « Je suis blessé, je suis meurtri. Qu'on me laisse en paix ! »

Le mouvement cessa brusquement. Trois saccades ; je me mis debout en chancelant. Je n'arrivais pas à empoigner mon piolet et je dus m'y reprendre à plusieurs fois pour le caler correctement dans ma main. Mais je n'avais pas la force de serrer les doigts sur le manche, et il oscillait lamentablement. J'obtins le même résultat avec le marteau-piolet. De la main gauche, j'essayai d'ôter ma moufle, sans y parvenir. Exaspéré, je l'arrachai avec les dents. En dessous, mes gants étaient recouverts de givre. Je pouvais voir que mes doigts étaient tout durcis, je n'arrivais pas à les plier, ni à fermer la main.

Pendant que je tentais de la réchauffer dans le creux de mon aisselle, des tourbillons de neige balayèrent la pente, remplissant la moufle qui pendait à mon poignet. Mais seule m'importait la douleur qui me tenaillait les extrémités, où le sang revenait lentement. L'intensité de la brûlure m'en faisait presque oublier les élancements dans ma jambe. Enfin elle diminua, je vidai ma moufle et répétai l'opération avec l'autre main.

Simon me rejoignit longtemps avant que j'aie eu le temps de finir son siège. Tête baissée, il attendit en silence. Il avait enfoui ses mains sous ses aisselles.

Je lui dis :

– Les miennes étaient dans un sale état. J'ai bien cru qu'elles avaient gelé.

– Je reste trop longtemps sans bouger pendant que je te descends. Je sens que certains doigts ne se réchauffent pas. Ils doivent définitivement être atteints de gelures.

Il avait fermé les yeux, luttant contre les terribles élancements. Une grande claque de vent ne le fit pas réagir. La rafale avait à moitié comblé le trou. Je le dégageai.

– Allez, ça ne s'arrange pas, il va falloir presser le mouvement.

Quand la corde se tendit, je me crispai, dans l'attente d'une chute. Une secousse, et mon pied se prit dans la neige. Je poussai un cri, qui n'éveilla aucune émotion sur le visage de Simon. Il continuait à laisser filer la corde, imperturbable. Le temps n'était plus à la compassion.

Au bout de la quatrième longueur, la situation ne s'était pas arrangée pour moi. Le tremblement de ma jambe avait repris de plus belle, incontrôlable, et j'avais atteint un tel degré de souffrance que je ne faisais plus la différence entre les moments où ma jambe cognait la pente et les autres. Mais si l'intensité de la douleur était difficilement supportable, je n'avais au moins plus la hantise de ces brusques secousses. Dans un sens, je m'étais accoutumé à la souffrance. En revanche, l'état de mes mains empirait. À chaque arrêt, l'opération de réchauffement donnait des résultats de moins en moins probants. Et celles de Simon étaient d'une insensibilité assez alarmante.

La tempête s'était amplifiée au point que les rafales chassaient la neige en tourbillons ininterrompus, d'une telle violence que je faillis être arraché à plusieurs reprises quand j'étais en train de creuser le relais. Des poignées de petites aiguilles glacées me giflaient le visage, me brûlant la peau et s'infiltrant par les moindres interstices. J'étais au bord de l'épuisement.

Peu à peu, je sombrai dans un état de résignation et de fatalisme. La raison de nos efforts ne m'apparaissait plus très clairement. J'avais déjà bien assez de mal à supporter l'instant présent. Aux arrêts, Simon restait prostré, le visage figé, rigide. Nous luttions chacun pour soi, moi contre la douleur, Simon contre une terrible fatigue. Combien de fois avait-il douté de la solidité de son relais ? J'avais dépassé le stade où ce genre de détail pouvait m'émouvoir, mais il devait voir les choses sous un autre angle, garder à l'esprit qu'il prenait des risques supplémentaires à cause de moi. Une fois ou deux, j'avais eu la tentation de le remercier pour ce qu'il faisait, mais j'avais préféré me taire, ne pas mettre l'accent sur mon état de dépendance à son égard.

Tandis que Simon descendait vers moi, je creusai le cinquième relais. Très vite, je tombai sur de la glace. Je me tenais en équilibre précaire, sur les pointes avant d'un seul crampon. Dans cette position inconfortable, il était évident qu'une crampe me guettait. L'idée que je pourrais dévisser surgit soudain. Ou plutôt, nous dévisserions tous les deux… Je me sentais pris d'étourdissements. Je plongeai la tête dans la neige pour dissiper ma faiblesse. Après tout ce que nous avions enduré, il ne fallait pas que je m'évanouisse ! Ce serait trop bête.

Pendant tout ce temps, je n'avais pas eu l'idée de poser une broche à glace. Le vent et les coulées glaciales avaient engourdi mon esprit comme elles avaient engourdi mon corps. Je devais lutter contre la torpeur qui m'envahissait et m'empêchait d'agir. Enfoncer une broche dans la glace me parut tenir de l'exploit, mais j'étais encore assez lucide pour m'inquiéter de mes réactions. J'avais entendu parler d'alpinistes qui étaient morts de froid sans même s'en rendre compte, après avoir cédé à l'inertie. Aussi, lorsque je me fus enfin assuré sur la broche, je me mis à pratiquer quelques exercices dans l'espoir de sortir de cette léthargie et de me réchauffer. Je tapai les bras contre mon corps, me frottai vigoureusement, secouai la tête dans tous les sens. Cette gymnastique finit par me réveiller et une légère chaleur m'inonda.

Simon avait aperçu la broche. Nous rencontrions de la glace pour la première fois depuis le début de la descente. Il me regarda.

– Cela laisse prévoir un passage raide, ou quelque chose de similaire.

– Oui, mais je ne vois rien.

Pendu à la broche, il scrutait la paroi.

– La pente s'accentue, mais je n'arrive pas à déterminer pour quelle raison.

À mon tour je regardai, sans pouvoir percer les tourbillons qui dansaient follement au milieu des nuages. La neige était partout. Nous évoluions dans un univers blanc et cotonneux.

– Il vaudrait peut-être mieux éviter de me faire descendre dans ces conditions. On peut tomber sur… je ne sais pas… un éperon rocheux, ou une cascade de glace.

– Bien sûr, pourtant je ne me souviens pas d'avoir aperçu quoi que ce soit, depuis le Seria Norte. Et toi ?

– Non. En tout cas rien d'important. Pourquoi ne descends-tu pas en rappel, pour voir ? Si ça passe, tu me fais signe avec la corde. Je peux faire un rappel tout seul.

– On n'a pas tellement le choix… D'accord, je mets une autre broche.

Il plaça un mousqueton, puis y passa la corde, tandis que je me décordais. Quand il aurait posé un relais plus bas, il me ferait signe de le suivre. Alors qu'il venait d'entamer son rappel, je lui criai :

– Fais un nœud au bout de la corde. Sans ça, si jamais je perds connaissance, je ne pourrai pas m'arrêter !

Il hocha la tête et s'enfonça dans le brouillard. Je me retrouvai seul, essayant de ne pas penser à un accident. J'étais accroché sur un pied dans la paroi, et la neige dansait une ronde éperdue. Le silence régnait, rompu par une brusque saute de vent et le bruissement des cristaux de neige qui griffaient mes vêtements. Une vision s'imposa à moi, le Yerupaja baigné de soleil, tel que je l'avais aperçu depuis la grotte... C'était ce matin ! Mon Dieu, que cela paraît lointain. Ce matin... après nous avons descendu l'arête, et puis il y a eu les crevasses, et le mur de glace... une éternité... Tout a basculé si vite... Je sentais des mains glacées me saisir ; le froid s'insinuait en moi.

Je repris ma petite gymnastique, tentant de chasser l'intrus avec de larges mouvements. Puis je sentis bouger les cordes. Je les empoignai. Trois petits coups. Je les passai dans le descendeur et retirai ma broche à glace. Je vérifiai que les cordes coulissaient bien et j'entamai la descente à mon tour.

Quelques mètres plus bas, je tombai sur un mur vertical. Je m'arrêtai pour regarder. Très vite la pente s'adoucissait à nouveau et se perdait dans les nuages. Le rocher transparaissait sous la glace. Le passage défila lentement devant moi, des petits ressauts rocheux, verglacés, entrecoupés de cascades verticales. Une ou deux fois je me cognai la jambe, mais ce rappel fut beaucoup moins pénible que ce qui avait précédé, d'autant plus que je pouvais contrôler la vitesse et m'éloigner plus facilement de la paroi.

J'étais si totalement absorbé par cette descente que la voix de Simon me fit sursauter. Il me faisait signe, assuré sur une broche, un large sourire sur le visage.

– Encore un petit passage raide. J'ai entr'aperçu la pente, elle reprend normalement, un peu plus bas.

Tout en parlant, il m'attrapa et me tira doucement. Avec beaucoup de délicatesse, presque tendrement, il me fit pivoter de façon à ce que je puisse me placer face à la paroi, à côté de lui. Il mousquetonna mon baudrier sur une seconde broche, puis il dirigea ma jambe valide sur une petite marche qu'il avait taillée dans la glace. Je compris alors qu'il avait toujours été conscient des souffrances qu'il m'imposait. Et ces petites attentions semblaient dire : « Tout va bien. Je me suis peut-être conduit comme un salaud, mais il le fallait. »

– Ce ne doit plus être très long, maintenant. Quatre à cinq longueurs tout au plus.

Il essayait manifestement de me réconforter, et je lui en étais reconnaissant. Sur ce fragile relais battu par la tempête, nous avions partagé quelques minutes de profonde amitié. Et même si cela faisait un peu mauvais film de guerre, du genre « Nous sommes tous embarqués sur le même bateau, les gars, mais je vous jure qu'on va s'en tirer ! », nous étions sincères, et cette vérité représentait la seule chose solide à laquelle nous pouvions nous raccrocher. Je lui posai la main sur l'épaule et lui adressai un sourire. Il me le rendit, d'un air las. Ses traits tirés trahissaient l'angoisse de notre situation précaire, et ses yeux ne souriaient pas. Dans son regard on pouvait lire le désarroi, l'anxiété, des sentiments qui contredisaient ses paroles rassurantes.

– Je me sens mieux. La douleur est moins pénible maintenant. Et tes mains ?

– Pas très brillant, et ça ne s'améliore pas. Au contraire.

Devant son air piteux, le remords m'étreignit. Il faisait les frais de l'opération, à son tour.

– Je continue. Je vais préparer le relais.

Il s'éloigna et fut aussitôt englouti.

Je le rejoignis rapidement. Il avait déjà creusé un large siège. La descente continuait, à partir de ces relais foireux. Je regardai ma montre sans arriver à lire l'heure. Je n'avais pas remarqué que la nuit était presque tombée. J'appuyai sur le bouton, une petite lumière clignota, il était sept heures et demie ! Le jour avait décliné depuis plus d'une heure sans que je l'aie remarqué. Je n'avais pas besoin de lumière pour creuser des sièges et me concentrer sur ma douleur...

Tout émoustillé par la sympathie que Simon m'avait témoignée, je ne pus réprimer un rire nerveux. J'étais en proie à des émotions primaires. L'idée que j'allais bientôt atteindre le glacier et pouvoir me glisser dans la douce chaleur d'une grotte de neige m'obsédait, comme l'image d'un bon repas au coin du feu peut vous poursuivre, à la fin d'une longue marche dans les collines, par un jour d'hiver. J'essayais de repousser ce désir. Cela risquait d'attirer le malheur. Et je me répétais que jamais je n'y arriverais, mais en pure perte. Le mouvement s'accéléra. Je souffrais toujours, mais la douleur avait diminué d'intensité. Peut-être aussi que j'y prêtais moins d'attention, hanté par l'espoir d'atteindre rapidement le bas de cette face.

Nous accomplissions les gestes de la descente presque instinctivement. Et avec chaque mètre parcouru, malgré la tempête et l'obscurité, notre moral remontait. De relais en relais, le sourire de Simon s'élargissait et ses yeux brillaient à la lueur de ma lampe frontale. La situation ne nous échappait plus. Il ne s'agissait pas d'une débandade incontrôlée, d'une course sans merci contre des forces supérieures, mais bien d'une retraite organisée, parfaitement maîtrisée.

Une bourrasque particulièrement agressive me frappa de plein fouet. Je me ratatinai dans le siège inachevé. De la neige coula le long de mes jambes lorsque je me relevai. Je dégageai le trou. Il n'y avait aucun signe d'amélioration mais on ne pouvait pas dire non plus que la tempête empirait. Simon apparut au-dessus de moi. Un faisceau de lumière jaune trouait le brouillard. Je gardai la tête levée afin qu'il puisse se guider sur ma frontale. Au moment où il arrivait à mon niveau, une grosse coulée nous recouvrit. Il n'eut que le temps de se recroqueviller à mes côtés.

– Nom de Dieu ! La précédente a bien failli m'emporter !

– Tu as remarqué ? Les coulées deviennent de plus en plus importantes. Cela pourrait bien signifier que nous approchons du bas de la face. Elles grossissent au fur et à mesure qu'elles descendent.

– Il vaudrait peut-être mieux que je me décorde quand je descends. Si une avalanche m'emporte, au moins je ne t'entraînerai pas avec moi.

J'éclatais de rire. Si jamais Simon disparaissait, je ne pourrais pas continuer tout seul.

– De toute façon, je ne m'en sortirais pas, alors autant rester encordés. Si tu tombes, si tu m'entraînes, au moins j'aurai une bonne raison de t'en vouloir !

Il resta de marbre. Il avait presque oublié que j'étais blessé, et voilà que je le lui avais rappelé... Il s'installa dans son trou et se mit en position.

– Encore deux descentes au maximum. Nous entamons la huitième. Si on inclut les deux rappels, nous avons parcouru environ huit cents mètres déjà. Du col au glacier, il ne doit pas y avoir plus de neuf cents mètres. C'est même peut-être la dernière !

J'acquiesçai. Il m'adressa un sourire confiant tandis que je glissais dans la pente et m'évanouissais dans la tourmente. Depuis tout à l'heure, il m'avait semblé que la pente s'adoucissait imperceptiblement. Un signe encourageant, qui confirmait sans aucun doute que nous approchions du glacier. Pourtant, dès que j'eus perdu Simon de vue, je sentis que je prenais de la vitesse, et mon pied rebondit brutalement. De nouveau, mon univers se réduisait à l'essentiel : essayer, vainement, d'éviter les chocs, et supporter cette intolérable souffrance.

La vitesse augmenta encore, tandis qu'une traction de plus en plus forte s'exerçait sur mon baudrier. J'essayai de me freiner avec les bras, mais sans résultat. Je me tournai de côté, dans l'espoir que je verrais de quoi il retournait. Mais seules des rafales de neige traversaient le faisceau lumineux de ma lampe. Je hurlai à Simon de ralentir. Toujours plus vite. Mon cœur battait à tout rompre. Avait-il perdu le contrôle ? Je tentai encore de me freiner. Rien à faire. Pour ne pas céder à la panique je me raisonnai – non, il n'a pas perdu le contrôle. Je descends vite, mais de façon régulière, non ? Il a sans doute envie d'en finir le plus rapidement possible, c'est tout… Pourtant quelque chose clochait dans mon raisonnement.

La pente. Bien sûr ! J'aurais dû y penser plus tôt ! Je dois approcher d'un autre mur.

Je hurlai de toutes mes forces pour l'avertir, mais je m'égosillais en pure perte ; les mots se perdaient dans l'épaisseur des nuages chargés de neige. Il ne m'aurait pas entendu même s'il ne s'était trouvé qu'à quelques pas de moi. Encore combien de mètres avant le nœud ? Trente ? Vingt ? Impossible à dire. Les notions de temps et de distance avaient fini par se diluer dans ce chaudron où bouillait la tempête. Je glissais pour toujours, au rythme de ma douleur.

Un sentiment aigu de danger me transperça. Il était impératif que je stoppe cette descente, et je devais agir tout seul puisque Simon ne m'entendait pas. S'il sentait que la tension sur la corde se relâchait, il comprendrait qu'il devait y avoir un problème. Je plantai la lame de mon piolet dans la neige en appuyant de tout mon poids, mais il ne mordait pas. Je plongeai mon pied gauche dans la pente mais la neige était si légère qu'il fendit la couche de poudreuse sans pour autant me freiner.

Subitement, mes pieds rencontrèrent le vide. J'eus tout juste le temps de pousser un cri et de labourer la neige avec les mains et je basculai par-dessus bord, en arrière, tournoyant comme un pantin au bout d'une ficelle. Au-dessus de moi la corde filait toujours sur un rebord de glace, et je compris que je continuais à descendre. Cette vision disparut, masquée par une coulée de neige pulvérulente.

À la fin de l'avalanche, ma chute avait cessé. Simon avait encaissé le choc, il avait réussi à me retenir. La plus grande confusion régnait dans mon esprit, une seule chose était claire : je me trouvais suspendu dans le vide. Attrapant la corde, je me redressai. Je virevoltais encore, mais le mouvement se ralentissait et je pouvais nettement voir passer devant mes yeux, à chaque rotation, un mur de glace. Quand enfin je m'arrêtai, je lui tournai le dos, et je dus me retourner pour l'examiner. Les tourbillons de neige avaient cessé, ce qui me permit de voir au-dessus de moi. Avec ma frontale j'éclairai la corde, remontant ainsi jusqu'à l'endroit où j'étais tombé. Le bord du mur se trouvait environ cinq mètres plus haut. Quelques secousses agitèrent la corde et je descendis un peu, puis plus rien. Une autre coulée de neige se déversa sur moi, que le vent dispersa. Je rentrai la tête dans les épaules.

Entre mes jambes j'apercevais le mur qui filait en angle. Il était entièrement surplombant et sa base se perdait dans la neige, beaucoup plus bas. Je n'arrivais pas bien à évaluer sa hauteur, mais il me sembla que la bouche sombre d'une crevasse s'ouvrait juste en dessous de moi. Puis une rafale me boucha toute perspective.

Simon n'arriverait jamais à me remonter. Depuis un relais solide, une telle entreprise aurait déjà été périlleuse, mais dans la position où il se trouvait, elle était carrément inconcevable. Je hurlai, et il me sembla qu'un appel étouffé me faisait écho, traversant la nuit. Était-ce vraiment Simon ?

J'attendis en silence, agrippé à la corde. Dès que je jetais un regard entre mes jambes, la terreur me saisissait, d'autant plus que le décor qui m'entourait commençait à prendre forme. Je me trouvais exactement à l'aplomb d'une crevasse qui longeait le mur de glace. Au fur et à mesure que je prenais conscience de la distance qui m'en séparait, mon estomac se contractait de terreur. Il y a au moins trente mètres de vide sous mes pieds ! Non, je dois me tromper... J'essayais de m'habituer à cette idée, les yeux fixés vers le bas... Et encore, quand je dis trente mètres... Je restais là, hébété, et des pensées folles se heurtaient dans ma tête. Enfin une idée prit forme, et je me retournai vers le mur.

Il se trouvait à environ deux mètres de moi, mais je n'arrivais même pas à le frôler du bout de mon piolet. Dans l'espoir de m'en approcher, j'imprimai des mouvements de va-et-vient à la corde, mais sans résultat. Je ne réussis qu'à penduler lamentablement. Il fallait à tout prix que je trouve une solution pour remonter –

et dans les plus brefs délais. Simon ne pouvait imaginer que j'avais rencontré un obstacle de cette envergure. Il penserait qu'il devait s'agir d'un simple petit ressaut rocheux et il essayerait de me descendre. Mais le nœud ! Bon Dieu, je vais être bloqué sur le nœud du milieu bien avant que je n'arrive en bas !

Je me résignais à ne pas pouvoir m'approcher de la paroi glacée. Comment, de toute façon, aurais-je pu escalader un mur surplombant avec une seule jambe ? Je fouillai mon porte-matériel à la recherche de deux anneaux de cordelette. J'arrachai mes moufles avec les dents. J'enfilai l'un des anneaux à mon poignet et gardai l'autre à la bouche. Pour les prendre j'avais dû lâcher la corde, et j'avais perdu l'équilibre, entraîné en arrière par mon sac. J'étais suspendu par le baudrier au niveau de la poitrine, les bras et les jambes pendant de chaque côté, et je ne pus reprendre la position assise qu'au prix de multiples contorsions.

Je me bloquai sur la corde avec le bras gauche, tandis qu'avec la main droite, j'essayai de faire un nœud Prussik*. Une fois que j'aurais enroulé la cordelette sur la corde, je ferais coulisser le nœud vers le haut, et je pourrais me tirer dessus. Je me bagarrai un bon moment avant d'y arriver. Mes doigts gourds refusaient d'obéir et je devais me cramponner à la corde pour ne pas basculer de nouveau. Si je voulais être sûr que le système fonctionne, il fallait faire au moins trois tours avec la cordelette ! Un quart d'heure plus tard j'étais au bord de la crise de nerfs, mais j'avais réussi un Prussik irréprochable sur lequel j'avais mousquetonné mon baudrier. Je me balançai au gré du vent, giflé par des tourbillons de neige.

---

*Prussik : nœud autobloquant. (N.d.T.)

Je remontai le nœud sur la corde, le plus haut possible, puis je me laissai aller en arrière. Le nœud se serra, glissa de quelques centimètres et se bloqua. C'était une réussite. Il ne me restait plus qu'à recommencer avec la deuxième cordelette, et cette fois je pouvais me servir des deux mains.

Je n'avais pas réalisé à quel point elles étaient gelées, et inutilisables. Je pouvais encore légèrement remuer les doigts de la main droite, mais la gauche, qui était restée crispée sur la corde, ne répondait plus. Je les frappai l'une contre l'autre, essayant de plier les doigts contre la paume, mais la circulation ne revenait manifestement pas vite. Elles étaient presque momifiées.

J'arrachai la cordelette de mon poignet. À la première tentative pour l'enrouler sur la corde, elle m'échappa et tomba sur ma poitrine. Je la récupérai tout de suite, mais avant même que j'aie pu recommencer l'opération, elle m'avait échappé de nouveau. Je la coinçai contre moi avec le bras gauche, sans arriver à la reprendre, avec ces doigts qui ne voulaient pas se plier. J'essayai de la faire remonter avec mon bras, dans l'espoir de la récupérer avec les dents. Mais elle glissa et tomba. Je la vis disparaître, emportée par le vent. Je voyais s'envoler ma dernière chance. Jamais je ne pourrais remonter, maintenant. Découragé, je me laissai aller sur la corde en jurant amèrement.

Ma seule consolation, c'était de pouvoir me maintenir assis sans efforts. Seule la corde, tendue comme une barre d'acier, me gênait. J'enlevai le mousqueton qui me reliait au Prussik et passai la cordelette sous les bretelles de mon sac, à hauteur de poitrine. Puis je mousquetonnai l'ensemble et me laissai aller en arrière. Ce point d'attache soulageait la pression exercée par la corde sur le haut de mon corps. J'avais l'impression de flotter dans l'espace à bord d'un fauteuil. Je me sentais à bout de forces.

Le vent s'acharnait sur moi en me faisant pirouetter sans répit, et le froid me pénétrait. La pression du baudrier m'avait coupé la circulation dans le bas du corps. Je ne sentais plus mes jambes, ce qui avait pour avantage de réduire la douleur dans mon genou. Mes mains, gelées, pendaient comme deux poids morts. À quoi bon les réchauffer ? Je ne pouvais plus échapper à cette lente pendaison. Nous nous trouvions dans une impasse ; il m'était aussi impossible de remonter qu'à Simon de descendre. Une demi-heure avait dû s'écouler depuis ma chute. D'ici deux heures tout serait fini. Déjà je sentais le froid m'envahir.

Des bouffées d'angoisse surgissaient parfois, mais mon esprit engourdi ne réagissait pas. J'analysais vaguement le phénomène, je me demandais comment les choses se passeraient. Au moins, j'éviterais les souffrances ; je ne pouvais que m'en réjouir, la douleur m'avait vidé de toutes mes ressources. Je me sentais si calme, maintenant qu'elle avait lâché prise. J'imaginais le froid comme une chose vivante, il se frayait un chemin à travers mon corps, remontant inexorablement le long des veines et des artères, paralysant peu à peu tous mes organes, prenant possession de mon être. Il s'agissait évidemment d'une vision fantaisiste, et je le savais, mais elle s'imposait à moi avec une telle force que je n'arrivais pas à y échapper. En tout cas, personne ne viendrait m'affirmer le contraire, ça, c'était une certitude ! Cette idée m'amusa. Mais par-dessus tout, la fatigue s'emparait de moi, et une infinie lassitude. Je n'avais jamais ressenti une telle faiblesse, un tel besoin de m'engloutir dans le sommeil. J'avais l'impression que mon corps se diluait dans l'espace.

Une brusque saccade, et le mur de glace se mit à bouger devant moi. Simon me descendait. Je luttai contre la léthargie. Il n'avait aucune chance ! Il devait penser que je pourrais reprendre pied sur la pente avant d'être bloqué par le nœud. Contre toute probabilité, je me pris à espérer qu'il réussirait. Malgré tout, je poussai un cri pour l'avertir. Il se perdit dans la nuit, et la descente continua, au même rythme. Je distinguais déjà parfaitement la crevasse, alors que le haut du mur s'était évanoui dans l'obscurité. Les cordes disparaissaient, happées par des voiles de neige. Une légère secousse, encore une autre... je m'arrêtai.

Au bout d'une demi-heure, je n'essayai même plus d'appeler Simon. Je savais maintenant qu'il ne pouvait plus rien faire. Il allait mourir dans son siège, à moins que mon poids ne l'en arrache d'abord. Et je me demandais si je serais mort d'ici là. Dès qu'il perdra conscience... Avant moi, peut-être... il est plus exposé, là-haut.

Mais l'idée de la mort, la mienne, ou la sienne, ne me bouleversait pas, sans doute parce que sa réalité ne pénétrait pas mon cerveau embrumé... Je me dis que si seulement j'avais peur de la mort, je serais tenté de lutter pour ma survie ; cette vérité m'effleura mais je l'écartai bien vite. J'avais tout fait au début pour m'en sortir, pourtant la peur ne m'avait pas aidé à installer mes nœuds autobloquants. Et Toni Kurtz, à l'Eiger, ne s'était-il pas battu pendant des heures ? Il n'avait jamais abandonné la lutte et la mort l'avait surpris à quelques mètres seulement de ses sauveteurs. Finalement, je me trouvais dans la même situation ; pourtant je ne me sentais pas concerné... C'est peut-être à cause du froid ? Ça ne sera plus très long, maintenant. Je ne tiendrai pas jusqu'au matin... je ne verrai pas le soleil se lever. J'espère que Simon ne mourra pas, lui. C'est le pire... Ce ne serait pas juste qu'il meure par ma faute...

Soudain je me redressai, interrompant brutalement le fil de ces pensées confuses. L'indifférence avait fait place à la colère et je hurlai dans le vent, je braillai des insultes à travers le néant.

– Juste dans la dernière longueur, et après toutes ces souffrances... Merde. Quelle connerie !

Des mots qui ne voulaient rien dire, qui ne s'adressaient à personne, des mots qui m'échappaient dans un moment de fureur et d'amertume, vite étouffés par le vent et la neige. Des mots inutiles, aussi absurdes que ce vent qui sifflait à mes oreilles, mais la colère avait fait irruption en moi, elle me réchauffait, me faisait vibrer d'indignation, repoussait le froid dans un chapelet d'injures et de larmes de désespoir. C'était moi que j'insultais, tout venait de moi. *J'*étais tombé et *mon* genou s'était brisé, et j'allais mourir, *moi*, et Simon par la même occasion.

La corde trembla et je descendis de quelques centimètres. Avait-il réussi à faire passer le nœud ? Encore quelques légères secousses, puis plus rien. Je savais à présent ce qui m'attendait. Il glissait. Je l'entraînais dans la pente. Et j'attendais que la chose arrive, sans bouger. Dans une minute, dans une minute...

Joe m'avait adressé un sourire avant de disparaître dans la pente. Pas un véritable sourire, à vrai dire, plutôt une grimace de souffrance. Je le fis descendre très vite, ignorant ses cris. Il s'était rapidement fondu dans la nuit. Une autre coulée déferla sur moi, recouvrant la corde. À part son poids qui tendait mon baudrier, aucun signe ne trahissait sa présence.

Je laissai filer la corde rapidement. Grâce à mon descendeur, je pouvais contrôler la vitesse très facilement. Heureusement, car mes doigts gelés étaient vraiment dans un piteux état. J'y pensais avec angoisse depuis le col. Je savais que Joe ne pourrait plus grimper, et maintenant je m'inquiétais aussi pour moi. Impossible de dire à quel degré ils étaient atteints. Tant qu'il faisait jour, j'y avais jeté un coup d'œil de temps en temps, mais j'avais du mal à évaluer l'importance des dégâts. Les extrémités de quatre doigts et d'un pouce avaient déjà noirci ; je ne savais pas si les gelures avaient progressé depuis.

Un faible cri remonta jusqu'à moi et une secousse agita la corde. Pauvre vieux ! Je t'ai fait souffrir pendant toute la descente. Pourtant je restai de marbre. Au début je supportais difficilement de le voir dans cet état. C'était plus facile maintenant. Nous avions bien progressé et fait preuve d'efficacité. J'en étais fier. Nous avions pris la situation en mains, et la descente s'était révélée plus facile que prévue, surtout avec Joe qui creusait les relais. Il avait tenu son rôle avec brio. Quelle maîtrise ! Je ne lui avais jamais rien demandé, il avait pris cette décision tout seul. Est-ce que j'aurais eu la force de creuser, en plus ? Personne ne pouvait le dire.

Je ne sentais plus mes mains. Elles s'engourdissaient au fur et à mesure que le nœud approchait, elles se raidissaient sur la corde, comme des pinces. La descente se faisait sans heurts. Dieu merci, je n'avais pas eu à me battre avec une corde emmêlée, elle avait toujours coulissé sans histoire. La tension sur mon baudrier se fit plus forte, et je me dis que l'inclinaison devait augmenter. Il restait encore une vingtaine de mètres avant le nœud ; j'accélérai le mouvement, parfaitement conscient des souffrances que j'infligeais à Joe. Tant qu'il faisait jour, je l'avais vu se crisper de douleur, pourtant nous avions continué. Il le fallait. Un autre cri me parvint au moment où une vague de neige déferlait. Je me ratatinai au fond de mon siège. Autour de moi, je sentais couler la neige. Les relais duraient juste le temps de ces deux longueurs, vers la fin il n'en restait plus grand-chose. Une subite traction me tira en avant, m'arrachant presque de mon trou. Je me rejetai en arrière, les jambes raidies pour mieux résister à cette soudaine pression. Bon sang ! Joe est tombé ! Je laissai filer la corde avant de la bloquer en douceur. La tension était toujours aussi forte. Mon baudrier me mordait les cuisses, et la corde avait entamé le bord du siège.

Au bout d'un quart d'heure, je laissai glisser la corde. Quel que fût l'obstacle que Joe avait rencontré, il n'avait manifestement toujours pas trouvé un point d'appui. Dans mes jambes, serrées par le baudrier, le sang ne circulait plus et elles commençaient à s'engourdir. Que pouvais-je faire d'autre que le descendre ? Aucune solution ne se présentait à mon esprit. Joe n'avait pas essayé de remonter ou de tenter quelque chose, je n'avais pas senti bouger la corde. Inutile d'envisager de le hisser. Déjà le trou s'était à demi rempli de neige, et je le sentais se désintégrer lentement sous mes fesses. Je ne pourrais pas le retenir encore très longtemps. Les passages rocheux que nous avions rencontrés un peu plus haut faisaient une quinzaine de mètres, guère plus. Si je le descendais un peu, il pourrait sans doute trouver rapidement un endroit où se tenir. De toute façon, je n'avais pas le choix.

Mais la corde filait, et la pression ne changeait pas. Joe était toujours suspendu dans le vide. Bon sang, que peut-il bien y avoir là-dessous ?

Je vis le nœud remonter lentement vers moi. Plus que six mètres... Je couvrais Joe d'insultes. Dépêche-toi de trouver un relais ! Plus que trois mètres... Je ralentis l'allure, la tension n'avait pas changé.

Je tassai la neige avec mes pieds, dans le vain espoir d'empêcher le siège de s'écrouler. Je commençais à avoir des sueurs froides. Une autre coulée se précipita sur moi et je sentis que je glissais. La neige s'infiltra derrière moi, me repoussant vers l'avant. Bon Dieu ! Je vais lâcher prise !

Aussi brusquement, la neige se stabilisa, et je me remis à laisser filer la corde, un mètre, deux mètres. Est-ce que j'allais pouvoir tenir la corde d'une main pendant que je faisais passer le nœud de l'autre ? Je levai une main et la regardai ; elle ne voulait pas se serrer. Si j'essayais de sortir la corde du descendeur, je n'arriverais jamais à la bloquer, elle filerait entre mes doigts et m'arracherait probablement à la montagne.

Il y avait bientôt une heure que Joe était tombé. Je tremblais de froid, et malgré mes efforts, mes mains relâchaient leur prise sur la corde qui glissait peu à peu. Le nœud heurta mon poing droit. Je ne peux rien faire ! La panique m'étreignit. J'oubliai les coulées de neige, le vent, le froid. J'allais être entraîné ! De nouveau le siège bougeait sous moi, de la neige glissait des côtés et tombait sur mes pieds. Je la tassai furieusement avec mes pieds et le mouvement cessa. Pour combien de temps ?... Il faut que je fasse quelque chose !

Le couteau ! L'idée s'imposa, brutale. Le couteau, bien sûr. Vite, prends-le, dépêche-toi.

Il se trouvait au fond de mon sac. Il me sembla que jamais je n'arriverais à faire glisser les bretelles. La corde bloquée sur la cuisse, une main crispée sur le descendeur, je me battis avec les fermetures, je tâtonnai au fond du sac, et la neige croulait lentement sous moi. J'allais céder à la panique lorsque ma main se referma sur un objet lisse. Au moment où je le sortais, la poignée de plastique glissa entre mes doigts et il faillit m'échapper. Je le déposai entre mes cuisses. Ma décision était prise. Je n'avais pas d'autre choix. Je dus l'ouvrir avec les dents, et la lame m'écorcha les lèvres.

Je l'approchai de la corde et suspendis mon geste. L'autre partie de la corde ! Écarte d'abord le morceau qui se trouve à côté de ton pied ! S'il s'emmêle avec l'autre, il risque de t'entraîner. Je le repoussai soigneusement, me penchai de nouveau et, cette fois, posai la lame sur la corde.

Je n'eus même pas besoin d'exercer de pression. La corde, tendue à se rompre, éclata littéralement, me projetant au fond du siège. Je tremblais.

Affalé dans la neige, le souffle court, j'écoutais mon cœur battre la chamade. Une coulée déferla sur moi dans un doux bruissement. La neige me recouvrit le visage et la poitrine, s'infiltra par l'ouverture de ma veste. Je n'y prêtai pas la moindre attention. Elle coulait sans fin, se répandait sur moi et dévalait la pente, à la poursuite de la corde coupée, de Joe.

Je suis vivant ; pour l'instant, cette pensée s'imposait comme la seule évidence. Dans le grand calme qui suivit mon geste, le problème de savoir ce qu'il était advenu de Joe ne se posait pas. Je ne sentais plus son poids, je me retrouvais seul en face du vent et des avalanches.

Quand je me redressai, la corde se détacha de mes

hanches et je vis, dans mon descendeur, un petit bout tout effiloché. Il s'en était allé. Est-ce que je l'avais tué ? Une question à laquelle je ne voulais pas répondre, ignorant cette voix qui me soufflait que c'était l'évidence même. Grelottant de froid, je fixais d'un air hébété les tourbillons de neige, essayant de comprendre. Aucun sentiment de culpabilité, aucune tristesse, je restais là, sans bouger, dans la nuit et le vent. La faible lumière de ma frontale se frayait un chemin dans les ténèbres, et ma solitude devint plus réelle. Je résistai à l'envie de l'appeler. Personne n'entendrait mes appels. Un coup de vent me fit frissonner, le froid me transperçait le dos. Une autre coulée se déversa. Seul dans une paroi balayée par la tempête et les avalanches, à demi mort de froid, je ne pouvais me permettre de m'appesantir sur le sort de Joe. Je devais l'oublier jusqu'au matin.

Je me dressai dans la pente. La neige avait presque comblé mon siège. Je me mis à creuser, et j'eus bientôt à ma disposition un trou suffisamment grand. Mes bras accomplissaient seuls ce travail, avec des gestes d'automate, tandis que mon esprit se perdait en vaines conjonctures, en questions insolubles. Souvent je m'arrêtais subitement et, les yeux perdus dans le vague, je restais immobile un long moment.

Une nuit étrange m'attendait, et je le savais. Je m'étonnais de mon attitude détachée. On aurait dit que je devais prendre mes distances par rapport à ce qui venait de se passer. De temps à autre, je me demandais si Joe était encore en vie. Je n'avais aucune idée du genre d'obstacle qu'il avait bien pu rencontrer. Mais nous étions presque arrivés au pied de la face, et l'on pouvait espérer qu'il avait survécu à une courte chute. Il était peut-être en train de se creuser un abri sur le glacier.

Pourtant je ne pouvais chasser de mon esprit le pressentiment qu'il était sinon mort, du moins mourant. Obscurément, je percevais qu'une chose terrible rôdait dans ce gouffre noir où la neige dansait une ronde éperdue.

La grotte terminée, je dus encore me livrer à toute une gymnastique pour réussir à m'enfiler dans mon duvet. Je bouchai l'entrée avec mon sac, et le silence m'enveloppa. Mais je cherchai vainement le sommeil, en proie à mes obsessions, hanté par des images et des questions qui tournoyaient en folles sarabandes dans ma tête. Peut-être qu'en retraçant calmement tous nos faits et gestes, je parviendrais à mieux comprendre les événements, à retrouver une certaine paix de l'esprit. Mais je ne fis que revivre la journée avec une telle intensité que je n'aboutis à rien. Avant tout, je cherchais à savoir ce qui m'avait poussé à agir ainsi. Une sorte de besoin me poussait à analyser ma décision, comme pour me prouver que j'avais eu tort.

Loin de me calmer, ces cogitations m'entraînèrent dans un tourbillon vertigineux. J'en vins à m'accuser d'autosatisfaction. Après tout, n'étais-je pas fier d'avoir pensé à couper la corde ? Alors que j'étais perdu, j'avais eu la force d'accomplir ce geste. Merde, c'est vrai ! Ça demande tout de même une certaine force de caractère, non ? La plupart des gens seraient morts avant d'en arriver là ! Et moi je suis vivant parce que j'ai tenu le coup, jusqu'au bout... J'avais agi avec sang-froid, vérifiant même que la corde ne risquait pas de s'entortiller autour de mon pied. C'était justement ce qui compliquait les choses ! Je devrais culpabiliser, pourtant je ne me sens pas coupable. J'ai agi de façon responsable, c'est tout. Mais, et Joe...

Je finis par m'assoupir, surgissant parfois d'un sommeil agité pour retomber dans un bouillonnement de pensées confuses qui se heurtaient aux parois de cette sombre grotte perdue dans la tourmente. Malgré moi mon esprit restait en éveil ; ou peut-être n'était-ce que la tension nerveuse, la peur et l'angoisse qui me gardaient éveillé. Et cette litanie... Joe est mort, je sais qu'il est mort... Mais quand j'évoquais Joe, la seule chose qui se présentait à mon esprit, c'était ce poids qui m'avait quitté si brutalement, une sensation d'une telle violence qu'elle restait en deçà de ma conscience.

La nuit s'étirait entre veille et somnolence, et Joe s'effaçait de mon esprit au fur et à mesure qu'une furieuse envie de boire se saisissait de toutes mes pensées. Malgré les poignées de neige que je me fourrais dans la bouche, ma langue, sèche et gonflée, restait collée à mon palais. Je n'avais rien bu depuis près de vingt-quatre heures, alors que j'aurais dû ingurgiter au moins un litre et demi de liquide pour compenser la déshydratation causée par l'altitude. Je devenais fou à l'idée que toute la neige qui m'entourait pourrait être transformée en eau. Puis je retombais par à-coups dans une espèce de torpeur, dont une soif irrésistible me tirait soudain.

Peu à peu l'obscurité diminua. Je pouvais maintenant apercevoir des traces de piolet sur les parois de la grotte. La nuit avait pris fin et tandis que le jour se levait, je pensais à ce qui m'attendait. Je n'y arriverais pas ; ce ne serait pas juste, sinon. J'avais fait le tour du problème, et je savais qu'il devait en advenir ainsi. Je ne ressentais aucune angoisse, les frayeurs de la nuit s'étaient évaporées. Il était évident que je devais le tenter et que, sans doute, j'y perdrais la vie, mais cela n'avait pas d'importance. Au moins, je ferais preuve d'un peu de dignité. Je devais faire tout mon possible, et si cela ne suffisait pas, au moins j'aurais essayé.

Je pris autant de soin à me préparer qu'un prêtre qui va célébrer la messe. Je n'étais pas pressé d'entamer la descente ; il ne me restait plus longtemps à vivre, cette idée s'était imprégnée en moi. Je me sentais condamné, et je me préparais avec solennité, avec les gestes qui convenaient à un ancien rituel dont j'étais partie prenante, un rituel qui avait pris naissance dans les remous de cette terrible nuit.

Je bouclai une dernière sangle sur mes crampons, puis je regardai mes mains gantées, dans le plus grand silence. Ces préparatifs minutieux m'avaient calmé. J'étais apaisé, mes frayeurs avaient disparu. Je me sentais dur et froid comme du marbre. La nuit m'avait purifié, lavé de tout sentiment de culpabilité, de souffrance. Même la solitude n'avait plus prise sur moi. La soif ne me tourmentait plus. J'étais enfin prêt.

D'un coup de piolet, je fis voler en éclats le toit de la grotte et j'émergeai dans l'éblouissement d'une journée radieuse. Ni vent, ni avalanches, rien d'autre que de silencieuses parois glacées, lumineuses. Le glacier s'incurvait doucement vers l'ouest, en direction des sombres moraines qui gardaient notre camp. Je sentais un regard peser sur moi. Là-haut sur les crêtes une présence m'observait, et attendait. Je me dégageai des décombres de la grotte et me mis en route. J'allais mourir, je le savais ; les montagnes aussi.

Des ombres dans la glace

Pendu au bout de ma corde, dodelinant de la tête, je cédais à une immense lassitude. J'aspirais de toutes mes forces à une fin rapide. À quoi bon ces raffinements de torture ? Je n'en voyais pas la nécessité.

La corde bougea et je descendis de quelques centimètres. Combien de temps cela va-t-il durer, Simon ? Combien de temps avant que tu me rejoignes ? Encore un peu de patience... La corde vibra de nouveau. Ce câble tendu entre nous me transmettait un message plus efficacement qu'une ligne téléphonique. Ainsi l'histoire se termine ici. Pitié ! J'espère qu'au moins quelqu'un nous trouvera et saura que nous avons vaincu la face ouest. Je ne veux pas disparaître sans laisser de traces, sans que personne n'apprenne que, malgré tout, nous avons réussi !

J'oscillais doucement, au gré du vent. En dessous, la crevasse me guettait. Elle était énorme ; au moins six mètres de large. Je me balançais environ cinq mètres au-dessus d'elle. Elle longeait toute la base du mur de glace. Juste sous mes pieds, un pont de neige la recouvrait, mais un sombre gouffre béant s'ouvrait sur la droite. Je pensai : un gouffre sans fond. Mais non, les crevasses se terminent toujours. Je me demandais jusqu'à quelle profondeur je descendrais. Jusqu'au fond... jusqu'à l'eau qui coule tout au fond ? Mon Dieu ! J'espère que non !

Une autre secousse. Là-haut, la corde avait entamé le bord de la falaise, délogeant des blocs de glace. Je suivais des yeux ce fil auquel j'étais suspendu ; il se fondait dans la nuit. Le froid avait finalement gagné la bataille, insensibilisant mes jambes, puis mes bras. Mon cerveau lui-même tournait au ralenti. Quelques vagues questions absurdes me traversaient l'esprit, je ne me donnais d'ailleurs pas la peine d'y répondre. J'avais fini par accepter l'idée de la mort. C'était la seule issue, elle ne m'effrayait plus. Le froid m'avait anesthésié, et je me fichais éperdument du reste. Je ne souhaitais plus qu'un sommeil profond, sans rêves. La réalité avait tourné au cauchemar et le sommeil m'appelait avec insistance ; un gouffre noir s'offrait à moi, où s'abolissaient le temps et la douleur, un abîme semblable à la mort.

Ma lampe frontale avait fini par s'éteindre, les piles n'avaient pas résisté au froid, et par une trouée sombre au-dessus de ma tête, je vis scintiller des étoiles. Des étoiles ou des lumières dans ma tête ? La tempête s'était calmée. Je regardais ces petits points brillants avec plaisir. Comme des amis qui seraient de retour. Elles semblaient si lointaines, plus lointaines que jamais. Et si brillantes ! Le ciel était constellé de pierres précieuses. Quelques-unes étaient animées de légers clignotements, elles scintillaient, et des étincelles de lumière me parvenaient, traversant l'espace.

Soudain ce que j'attendais fondit sur moi. Les étoiles disparurent, et je tombai. La corde me cingla violemment le visage et je glissai en silence à travers le néant, dans une chute sans fin, un peu comme dans un rêve. Je tombais vite, plus vite que je l'aurais cru, et j'en eus le cœur chaviré. J'observais ma chute de très loin, d'un air parfaitement détaché, toutes mes angoisses envolées. Voilà, ça y est !

Un choc sourd dans le dos me fit reprendre contact avec la réalité. La neige m'engloutit, me caressant au passage d'une main froide et humide. Je tombais sans m'arrêter, et pendant une fraction de seconde je paniquai. La crevasse ! Ahhh... Non !

La vitesse augmenta, étourdissante, et mon cri resta suspendu dans les airs, loin au-dessus de moi.

Un terrible impact. Des éclairs fulgurants éclatèrent devant mes yeux et je perdis connaissance. Un bruit traversa ma conscience, lointain. L'air chassé de mes poumons sous le choc sortait bruyamment de ma poitrine. Des flèches lumineuses traversaient l'obscurité. De la neige dégringolait autour de moi, je l'entendais me frôler, de façon irréelle. De furieux roulements de tambour résonnaient dans ma tête. Peu à peu le martèlement s'estompa et les éclairs diminuèrent d'intensité. J'étais tellement sonné que je restai un long moment à demi conscient, abasourdi. Le temps s'écoulait au ralenti, comme dans les rêves, et je flottais dans l'air, calmement. Immobile, la bouche et les yeux grands ouverts dans le noir, je sentais des ondes parcourir mon corps, je discernais des messages, sans réagir.

Je n'arrivais pas à retrouver ma respiration. J'essayais d'expectorer. Rien à faire. Un poids douloureux m'oppressait. Je crachais, je suffoquais, je tentais désespérément d'aspirer une goulée d'air. Toujours rien. Je perçus tout à coup un bruit familier, le grondement du ressac sur les galets, et je me détendis. Je fermai les yeux, me laissant emporter par des ombres floues. Un spasme me secoua, ma poitrine se souleva et le bourdonnement cessa tandis que l'air s'engouffrait dans mes poumons.

J'étais vivant.

Une terrible brûlure me cisaillait la jambe. Elle était repliée sous moi. Mais plus la douleur me transperçait, plus je sentais que j'étais bel et bien vivant. Hé ! Si j'étais mort, je ne sentirais rien ! Je riais – Vivant ! Nom de Dieu ! – et je riais à n'en plus finir, de tout mon cœur. Je riais d'avoir mal, et des larmes coulaient sur ma figure. Je ne comprenais pas très bien ce qu'il y avait de drôle là-dedans, mais j'étais emporté par un rire inextinguible. Je pleurais et je riais à gorge déployée, et quelque chose se dénouait à l'intérieur de moi, quelque chose qui s'était niché au plus profond de mon être et qui se désagrégeait maintenant dans ces torrents de rire, qui s'écoulait hors de moi.

Subitement, je cessai de rire. De nouveau l'angoisse m'oppressait. Mais pourquoi ?

Je n'y voyais rien. J'étais couché de côté, recroquevillé dans une étrange position. D'une main je balayai l'espace avec précaution et rencontrai une surface dure. De la glace ! J'avais touché l'une des parois de la crevasse. Je continuai à tâtonner. Le vide. Je réfrénai l'envie instinctive de m'en éloigner au plus vite et continuai mon exploration. Mes jambes reposaient sur une pente neigeuse, en arrière, alors qu'en avant une autre pente tombait, abrupte. Manifestement, j'avais atterri sur une terrasse, ou un pont de neige. Pour l'instant, je n'avais pas l'air de glisser, mais de quel côté devais-je me diriger pour me mettre complètement en sécurité ? À plat ventre dans la neige, j'essayais de rassembler mes idées, d'élaborer un plan.

Que faire maintenant ?

Ne pas bouger. Voilà... Ne bouge pas... Ah !

Mais il m'était impossible de rester immobile, du moins pas tant que je n'aurais pas tout fait pour soulager cette terrible douleur qui me broyait le genou. Il fallait à tout prix que je dégage ma jambe. J'essayai de pivoter, mais je suspendis aussitôt mon geste ; je me sentais glisser. De tout mon corps, je m'agrippai à la neige. Ne bouge pas !

Je n'allai pas bien loin. Je haletais. En tendant la main, je sentis de nouveau sous mes doigts un pan de glace dure. Je cherchai mon marteau-piolet qui devait toujours se trouver sur mon baudrier. En fourrageant autour de moi, je finis par trouver un bout de cordelette. Le piolet y était accroché. Il ne me restait plus qu'à enfoncer une broche dans la glace, sans basculer de la plate-forme sur laquelle j'étais perché.

L'entreprise se révéla plus ardue que je l'avais cru. Il fallait d'abord que je me retourne vers la paroi, ma dernière broche à la main. Mes yeux s'étaient habitués à l'obscurité et une faible lueur pénétrait par le trou que j'avais fait en tombant. J'apercevais vaguement des murs de glace, grisâtres, et le noir opaque des abîmes qui m'entouraient. J'enfonçai la broche, comme si de rien n'était, comme si cet horrible trou sombre ne s'ouvrait pas dans mon dos. Mes coups de marteau se répercutèrent contre les parois glacées, réveillant de lointains échos, des sons lugubres qui évoquaient de telles abominations que j'en frissonnais d'horreur. Chaque coup me faisait glisser de côté, mais je parvins à enfoncer la broche, à y passer un mousqueton, puis la corde, avec des gestes nerveux, l'estomac noué à la pensée de ce gouffre qui menaçait de me happer.

Je réussis à me hisser dans une position semi-assise, près du mur, face à l'abîme. Sans cesse mes jambes glissaient sur la neige et je devais me tirer vers la paroi. Je n'osais pas lâcher la broche. Il le fallait bien, pourtant, si je voulais faire un nœud et m'assurer. Mon énervement croissait. Non seulement je n'y voyais rien, mais avec mes mains gelées, je ne sentais même pas la corde. Au bout de plusieurs tentatives infructueuses, j'étais au bord des larmes. Je laissai échapper la corde, et en essayant de la rattraper, je me mis à glisser vers le précipice. Je me jetai en arrière, tâtant désespérément la paroi. Ma main ne fit qu'effleurer la glace, je la griffai, mais mes moufles n'avaient aucune prise sur cette surface lisse. Soudain mes doigts heurtèrent la broche, ils se refermèrent dessus et la glissade se trouva stoppée. J'étais dans l'incapacité de faire le moindre mouvement. Je fixai l'abîme d'un air hébété.

Après de nombreux efforts, j'eus l'impression d'avoir réussi quelque chose qui pouvait passer pour un nœud. Je l'approchai de mes yeux et distinguai sur la corde un renflement accolé à une boucle. J'étouffai un petit rire, tout ravigoté par ce succès. En passant le nœud dans le mousqueton, je souriais béatement dans l'ombre. Les ténèbres ne m'auraient pas !

Je me laissai aller sur la corde, réconforté par cette tension rassurante sur mon baudrier. Je levai la tête. Là-haut les étoiles brillaient dans un ciel sans nuages et la lune ajoutait son éclat à leur scintillement. Ma nervosité diminuant, mes pensées reprirent un cours normal. Je dois me trouver à… combien… une quinzaine de mètres de la surface, peut-être. Je suis à l'abri. J'en sortirai demain, je n'ai qu'à attendre Simon… Simon ! ?

Les échos me renvoyèrent son nom et l'inquiétude qui tremblait dans ma voix. Je n'avais pas encore envisagé qu'il pût être mort, et l'énormité de ce qui s'était passé me frappa comme un coup de poing. Mort ? Je refusais d'accepter cette éventualité. *Pas maintenant... alors que je suis vivant* ! Le silence glacial de la crevasse m'enveloppa ; le froid des tombeaux, des espaces inhabités, me saisit brutalement. Personne, jamais, n'était venu jusqu'ici. Simon... mort ? Non, c'est impossible ! Je l'aurais entendu, je l'aurais vu basculer au-dessus de moi ; ou il serait tombé, ici, avec moi.

Un rire nerveux, incontrôlable, me secoua de nouveau. Les parois glacées me renvoyaient des ricanements hystériques ; est-ce que je riais encore, ou bien mon rire s'était-il mué en sanglots ? Des sons étranges me parvenaient, qui n'avaient rien d'humain. J'éclatai de rire et j'écoutai, et puis je recommençai ; absorbé par ce jeu, j'en oubliai Simon et la crevasse et ma jambe. Appuyé contre la paroi de glace, je riais avec frénésie, et je frissonnais. Une voix très calme, au fond de moi, m'expliquait que c'était le froid, et le choc. Et tandis que je sombrais dans la folie, cette voix me décrivait ce qui se passait. J'avais l'impression d'être coupé en deux, une moitié qui riait d'un rire dément, tandis que l'autre analysait objectivement toutes mes réactions. Cette étrange impression finit par me quitter. Un peu de chaleur revint dans mon corps, j'avais surmonté le choc.

Je fouillai dans mon sac à la recherche d'une pile de rechange, et bientôt je pus allumer la lampe frontale et regarder autour de moi. Le clair faisceau lumineux traversa les ténèbres, allumant de brillants reflets d'aigue-marine. Les murs de glace s'enfonçaient de tous côtés jusqu'à des profondeurs que ma lampe ne pouvait percer. Le pinceau lumineux se promenait sur les douces ondulations, arrachant parfois un éclat métallique à quelque rocher enchâssé dans la glace. La gorge sèche, je scrutais les alentours. La crevasse faisait bien six mètres de large et elle n'avait pas l'air d'aller en se rétrécissant. Vers le bas, ma vue s'étendait sur trente mètres tout au plus, mais j'imaginais sans peine les profondeurs abyssales que le rayon de ma lampe ne pouvait atteindre. En face de moi s'élevait une muraille d'énormes blocs de glace qui formaient une voûte presque vingt mètres plus haut. À droite, une pente de neige s'inclinait sur environ dix mètres avant de plonger dans le vide.

Ce puits de ténèbres dont je ne pouvais sonder les profondeurs m'attirait. À la pensée de ce qu'il cachait, je sentais ressurgir toutes mes angoisses. J'étais prisonnier, j'avais beau inspecter les murs qui m'enserraient, je n'apercevais pas la moindre faille. La lumière ne me révélait que d'impénétrables parois ou de sombres gouffres. Le chaos de blocs qui descendaient depuis la voûte, sur ma gauche, me cachait la vue. J'étais enfermé dans une immense caverne de neige et de glace, et ma seule vision sur le monde extérieur se réduisait à cette minuscule lucarne, tout là-haut, une issue qui me narguait, tout aussi inaccessible que les astres qui scintillaient dans le firmament.

J'éteignis, pour économiser les piles. L'obscurité ne m'en parut que plus épaisse. Ce que j'avais découvert n'était pas fait pour me rassurer. La solitude me pesait, je me sentais perdu au milieu de ces vastes étendues silencieuses. Le gouffre ténébreux et ce trou minuscule rempli d'étoiles se moquaient de mes désirs d'évasion. Mon seul espoir restait Simon. Mais, s'il était toujours en vie, comme je le pensais, ne croirait-il pas que j'étais mort ? Je hurlai son nom, l'écho me le renvoya comme une gifle, et il roula longtemps à travers les méandres de la crevasse. Le son ne traverserait jamais ces murailles, je me trouvais à une telle profondeur ! Quand Simon verrait la taille de la crevasse, et la falaise de glace qui la dominait, il en conclurait immédiatement que je n'avais pas survécu. C'était la logique même, j'aurais cette réaction, à sa place. À la vue d'un tel gouffre, il tiendrait pour acquis que je m'étais abîmé à jamais dans ces profondeurs insondables. Quelle ironie du sort... Se retrouver indemne après une chute de plus de trente mètres... C'était intolérable !

Je me répandis en imprécations, mais seuls les échos me répondirent. Malgré la futilité d'une telle réaction, je ne pouvais m'empêcher de déverser ma colère et mon désarroi, des cris absurdes qui remplissaient l'espace, s'enflaient, et que les murs de glace me renvoyaient à l'infini. Je hurlai ma rage impuissante et mon indignation, jusqu'à ce que plus un seul mot ne puisse traverser ma gorge desséchée. Qu'allait-il se passer ?

S'il regarde dans la crevasse, peut-être qu'il pourra m'apercevoir ? Au moins m'entendre ? D'ailleurs, qui dit qu'il ne m'a pas entendu, maintenant ? Il ne partira pas comme ça, sans être absolument sûr qu'il ne peut plus rien pour moi. Mais comment peux-tu certifier qu'il n'est pas mort ? Est-ce qu'il n'est pas tombé, lui aussi ? Tu n'as qu'à tirer la corde !

J'imprimai une légère traction ; aucune résistance. Je rallumai ma lampe. La corde pendait mollement du trou. Je tirai de nouveau, délogeant un peu de neige qui s'éparpilla au-dessus de moi. Je continuai à tirer et mon impatience croissait à mesure. La corde va bientôt se tendre, c'est évident, et je pourrai grimper, m'échapper. Elle continuait à venir facilement. Quelle curieuse sensation, je n'avais plus que le désir impérieux de sentir une résistance au bout de cette corde, même si cela signifiait que le corps de Simon se trouvait au bout... Mais cela voudrait dire, surtout, que j'allais m'évader de la crevasse. Simon avait dû être projeté violemment et s'écraser sur la pente inférieure. Il ne pouvait qu'être mort, il n'y avait plus de doute possible. Quand la corde sera tendue, je pourrai remonter, avec des nœuds Prussik; son corps me servira d'ancrage. Oui, voilà, j'ai trouvé...

Brusquement je vis la corde tomber, tous mes espoirs s'évanouissaient d'un coup. J'examinai le bout. Coupée! Je ne pouvais détacher mes yeux de ces petits filaments de nylon, roses et blancs. Ne l'avais-je pas toujours su, tout au fond de moi? C'était de la folie d'avoir cru que j'allais m'en tirer, manifestement tout s'y opposait. Il était écrit que je ne sortirais pas d'ici.

Bon Dieu! Ce n'était vraiment pas la peine d'avoir tant peiné, d'avoir parcouru un si long chemin. Il aurait dû m'abandonner là-haut, sur l'arête. Les choses auraient été beaucoup plus simples... Et je vais mourir ici, après tout ça... Alors pourquoi me fatiguer à y croire encore?

J'éteignis la lampe et me mis à sangloter, complètement accablé, au bout du désespoir. J'alternais les crises de larmes avec de longues plages de silence, écoutant mes plaintes enfantines s'étouffer au plus profond de la crevasse.

Il faisait froid quand je me réveillai. J'émergeai lentement du néant, ne sachant plus où je me trouvais.

Le sommeil m'avait pris par surprise, et le froid m'en avait tiré. Un bon signe – j'aurais tout aussi bien pu ne pas me réveiller.

J'avais retrouvé mon calme. J'allais donc finir mes jours au fond de cette crevasse ; j'acceptais ce dénouement sans plus me révolter. La crise était passée, elle m'avait épuisé. L'acceptation rendait les choses moins douloureuses. Je tenais pour certain que Simon penserait que j'étais mort. Depuis que cette évidence m'était apparue, le problème avait cessé de me tourmenter ; il s'agissait d'un souci de moins. Plusieurs jours s'écouleraient avant que je meure. Mais combien ? Trois jours au moins. J'étais à l'abri, dans mon trou, et j'avais un sac de couchage pour me tenir chaud. Que le temps me paraîtrait long… De longues heures où je verrais la pénombre glauque se transformer en obscurité, n'émergeant d'un profond sommeil que pour sombrer dans une vague somnolence. Vers la fin, je tomberais sans doute dans une torpeur sans rêves et je m'éteindrais tranquillement. Je voyais toutes les étapes de ma mort défiler devant mes yeux, et cette fin n'était pas celle que j'avais imaginée. Elle me paraissait quelque peu sordide. Si je ne m'étais pas attendu à disparaître auréolé de gloire, je n'avais jamais envisagé non plus ce lent glissement pathétique à travers le néant. Je ne voulais pas mourir ainsi.

Je me redressai et allumai ma frontale. Après tout, pourquoi ne pas essayer de remonter cette paroi ? Au tréfonds de moi-même, je savais qu'il s'agissait là d'une mission impossible, mais je me raccrochais à cet espoir, aussi infime fût-il. Il valait mieux en finir tout de suite, et au moins ce serait le cas si je tombais. Mais la vue de l'horrible abîme qui me guettait ébranla ma détermination. Suspendu au-dessus de tout ce vide, que le pont de neige me paraissait un refuge précaire ! Je fis un nœud Prussik sur la corde, juste au-dessus de la broche. De cette façon, je pourrais m'auto-assurer ; il suffisait de passer un bout de corde dans le nœud, en cas de chute il se serrerait et me retiendrait. Ce système d'assurance était tout à fait aléatoire, mais je n'avais pas le courage de m'en passer.

Au bout d'une heure, j'abandonnai la partie. Sur mes quatre tentatives, je n'avais réussi qu'une seule fois à m'engager un tant soit peu dans la paroi. Après avoir ancré mes deux piolets le plus haut possible, je m'étais tracté sur les bras, puis j'avais planté les pointes avant de mon crampon gauche. Dans cette position, je me préparais à ancrer un piolet plus haut. Mais à peine avais-je ébauché le geste que le crampon avait ripé. Mon poids avait arraché l'autre piolet et je m'étais écroulé sur la neige, en plein sur ma jambe. J'avais hurlé, faisant appel à toute mon énergie pour la dégager rapidement. Maintenant j'étais étendu sans bouger, attendant que la douleur s'atténue. Je n'avais certes pas l'intention de me réattaquer à cette paroi.

Je m'assis sur mon sac, éteignis ma lampe et me laissai aller, solidement assuré sur la broche. Je pouvais voir mes jambes émerger lentement de la pénombre. Je mis un bon moment à réaliser ce que cela signifiait. Enfin je lançai un coup d'œil à la tache pâle, dans la voûte, et regardai ma montre. Il était cinq heures du matin. D'ici une heure il ferait suffisamment jour pour que Simon puisse entamer la descente. J'avais passé sept heures dans le noir, mais l'arrivée du jour me faisait subitement prendre conscience de l'aspect parfaitement désespérant de l'obscurité. Je criai « Simon ! » de toutes mes forces. L'écho roula dans la crevasse. J'appelai de nouveau. J'appellerais ainsi, régulièrement. Peut-être qu'il m'entendrait. Sinon, je continuerais jusqu'à ce que je sois absolument sûr qu'il était parti.

Longtemps après, j'arrêtai de crier. Il était parti. Je le savais, comme je savais qu'il ne reviendrait pas. J'étais fichu. Il n'y avait aucune raison de croire qu'il retournerait sur ses pas. J'enlevai mes moufles, puis mes gants. Deux doigts de chaque main étaient déjà noirs, et un pouce avait une vilaine couleur bleuâtre. Je serrai les poings. Ils ne se fermaient pas complètement et ils étaient devenus insensibles. Je m'attendais à pire. Un torrent de lumière se déversait maintenant par l'ouverture de la voûte. Je plongeai mes regards dans le gouffre qui s'ouvrait à ma gauche. La vue s'enfonçait maintenant beaucoup plus loin, mais cela ne m'apporta rien de nouveau. Les parois de la crevasse n'avaient pas l'air de vouloir se resserrer, elles finissaient par se perdre dans une ombre grisâtre. Vers la droite, la pente s'inclinait sur plusieurs mètres avant de se terminer abruptement, comme j'avais déjà pu le constater pendant la nuit. Mais au-delà, un rayon de soleil venait lécher la paroi.

Dans un geste presque inconscient, je saisis le bout de la corde. Jamais je n'aurais le courage d'affronter une autre nuit sur le pont de neige. Jamais je ne repasserais par cet enfer. Il ne me restait plus qu'une seule solution. Pourtant j'hésitais encore. Je ne me sentais pas prêt. Mais avant d'avoir donné à mon esprit le temps de choisir, ma main attrapa les anneaux de corde, mon bras se détendit, et la corde se déroula dans le vide, dessinant une courbe sur la pente avant de disparaître dans le gouffre. Je la vis se tendre. Je m'y assurai et m'étendis sur le côté.

J'hésitai encore, vérifiai longuement que la broche tenait solidement. Mes yeux tombèrent sur le nœud Prussik. Je devrais le prendre ; si j'arrive en bout de corde sans trouver d'issue, je n'arriverai jamais à remonter sans lui… Je me laissai glisser sur le rebord de la terrasse les yeux fixés sur ce nœud qui s'éloignait de moi, au fur et à mesure de ma descente. Si je ne trouvais pas une solution de sortie par là, je ne voulais pas revenir sur le pont de neige.

Témoin muet

J'entamai la descente, hanté par le sentiment aigu qu'une menace planait sur moi. Le plus grand calme régnait, d'autant plus écrasant qu'il succédait à la tourmente. Je m'attendais à ce qu'une avalanche fonde sur moi, mais rien ne bougeait. Pas un souffle de vent ne venait soulever la neige fraîche qui coulait sans un bruit sous mes pieds. On aurait dit que les montagnes retenaient leur souffle, dans l'attente d'une seconde victime. Car Joe était mort, le silence ne me le disait que trop. Mais devaient-elles aussi me prendre ?

La vaste paroi incurvée réfléchissait les rayons du soleil ; il faisait chaud. Tout là-haut, des centaines de mètres au-dessus de moi, les crêtes enneigées miroitaient. Hier encore nous nous trouvions sur l'arête, mais nulle trace de notre passage ne subsistait ; la tempête nocturne avait tout effacé. Seule une légère brume ondulait doucement. Un goût âcre emplissait ma bouche desséchée, la déshydratation, sans doute – ou bien une profonde amertume. Je regardai la montagne qui s'élevait derrière moi ; une vaste étendue déserte. Cela ne rimait à rien. Nous l'avions gravie, parcourue, nous en étions descendus... Quelle absurdité ! Elle resplendissait dans toute sa perfection, propre, intacte, et notre passage n'avait absolument rien changé. Elle me dominait, superbe, immaculée, et je me sentais vide. J'étais resté là trop longtemps ; elle m'avait vaincu, dépouillé.

Je repris ma descente. J'avançais sans hâte, de façon méthodique. Pourquoi aller plus vite ? J'évoluais dans un monde de silence. Dans son écrin de montagnes blanches, le glacier lui-même se taisait, alors qu'il était d'habitude animé de chocs sourds et de craquements. Je poursuivais mon chemin, écrasé par cette étrange quiétude, conscient que cette terrible paix qui émanait du paysage m'était destinée. Rien ne pressait, quelque chose m'attendait, qui demandait du calme et de la dignité. Je progressais régulièrement, et la mystérieuse menace se précisait à mesure.

Une petite coulée de neige se forma sous mes pas, dévala la pente et disparut subitement, un mètre plus bas. Je me trouvais sur le rebord d'une falaise de glace. Je me penchai et regardai. Elle faisait une bonne trentaine de mètres de haut. Je fouillai des yeux les alentours, à la recherche d'un signe, n'importe lequel. Mais la pente de neige s'étalait en dessous, intacte. Il n'y avait pas trace d'abri, même plus loin, sur le glacier. Ainsi, c'est là qu'il est tombé. Mon Dieu ! Pourquoi cela ? Pourquoi ici ? Nous ne nous étions doutés de rien. Le terrible pressentiment qui m'avait tourmenté pendant la nuit se confirmait, Joe ne pouvait qu'être mort.

Je fixai le glacier en silence, profondément abattu. Je m'attendais au pire, mais jamais je n'aurais imaginé une chose pareille... Un petit mur vertical, à la rigueur un éperon rocheux, mais pas cette impressionnante muraille de glace. Je regardai notre ligne de descente, directement à l'aplomb de l'endroit où je me tenais. J'avais été dupé.

Croyant avoir trouvé le moyen de nous en sortir, nous nous étions précipités dans le piège sans le savoir. Je me souvenais de mon excitation, qui croissait à mesure que nous descendions. Nous progressions rapidement, j'étais si fier de tout ce que nous avions accompli. Les choses marchaient tellement bien... Les souffrances de Joe, les relais, cette formidable lutte, tout cela n'avait pourtant fait que nous précipiter vers la catastrophe.

J'examinai notre itinéraire initial; il suivait une ligne en diagonale, vers la gauche, une ligne qui s'éloignait de cette muraille. Nous avions envisagé cette voie parce qu'elle nous permettait d'éviter les pentes très raides à l'aplomb du col, et non pour contourner un obstacle qui n'avait jamais accroché nos regards.

Je détournai les yeux, regardant sans la voir la montagne qui me faisait face. La cruauté de tout cela me submergeait. Ce n'était pas un effet du hasard. Une force maléfique semblait présider aux événements, une force qui s'était amusée à nous manœuvrer. Nous avions mobilisé toutes nos énergies pour essayer de survivre dans la tempête et la nuit, mais cette longue journée d'efforts avait été réduite à néant en un instant. Quelle présomption! Nous avions cru que notre seule intelligence nous permettrait d'échapper au piège. Nous avions mené un combat acharné, pour en arriver à couper une corde! Je me surpris à rire, un ricanement aigrelet qui déchira le silence. Ce devait être drôle. D'une certaine manière, c'était même très drôle... sauf que la plaisanterie avait été à mes dépens. Et quelle plaisanterie!

J'entamai une traversée face à la pente, vers la droite, en suivant le rebord de la falaise. Tout sentiment de fatalité m'avait abandonné. À la place, la colère, le ressentiment et une rage amère repoussaient ma léthargie. Finie la résignation ! Je me sentais affaibli, j'étais exténué, mais je reviendrais vivant de cette montagne. Moi, au moins, elle ne m'aurait pas !

La pente se redressait dangereusement et le mur allait en s'amenuisant, jusqu'à se fondre dans la paroi. À cet endroit, la pente de neige cédait la place à des plaques de glace entrecoupées de ressauts rocheux. Je décidai de continuer en diagonale, en prenant d'énormes précautions. Ce terrain, particulièrement délicat, réclamait toute mon attention et j'en oubliai les émotions qui m'avaient secoué plus tôt.

Au bout de cinq ou six mètres, je tombai sur un gros bloc enchâssé dans la glace. J'avançai sur les pointes avant, dans une pente inclinée à 70 degrés, et la glace devenait plus dure et cassante à chaque pas. Je compris qu'elle devait recouvrir un éperon rocheux. D'ailleurs on le voyait transparaître par endroits, un peu plus bas, et je pus bientôt planter un piton dans une fissure.

Je bataillai pour poser le rappel. La corde était gelée, de même que mes doigts, et je n'arrivais pas à faire un nœud. Enfin, je lançai la corde ; elle se déroula le long de la paroi jusqu'aux pentes douces qui s'étendaient cinquante mètres plus bas. Je m'encordai et entamai un rappel sur l'éperon verglacé.

Peu à peu le mur de glace se dévoilait. Il s'étendait sur ma gauche en un formidable écran concave. Nos cordes en avaient entamé le rebord juste en son centre, au point le plus haut. La muraille, entièrement surplombante, surgissait de la montagne, et plus je descendais, plus elle me révélait son aspect rébarbatif. Elle était tellement impressionnante que j'avais l'étrange sensation qu'elle me dominait, alors que je me tenais pourtant largement à l'écart. Je n'en revenais pas. Elle était énorme; comment avions-nous pu ne pas être frappés par cette masse imposante ? Pendant la marche d'approche, nous étions pourtant pratiquement passés dessous.

En plein milieu du rappel, je remarquai soudain la crevasse. Je bloquai la corde sur le descendeur, stoppant brutalement ma descente. Je regardai avec un frémissement d'horreur cette large fente obscure qui longeait la falaise. Manifestement, Joe avait été englouti par ce gouffre. J'étais atterré. À la pensée de ce que pouvait signifier une chute dans le ventre de ce monstre, ma gorge se serra. Fermant les yeux, je m'agrippai désespérément à la corde.

Je restai ainsi pendant une éternité, immobile, essayant d'assimiler l'horrible vérité, en proie à un affreux sentiment de culpabilité. J'avais l'impression que je venais de couper la corde pour la deuxième fois. Le résultat aurait été le même si je lui avais froidement tiré une balle dans la tête. J'ouvris les yeux, et les détournai aussitôt, fixant les quelques centimètres carrés de rocher devant moi, essayant d'oublier la crevasse. D'ici quelques minutes, j'aurais atteint le pied de la montagne. Mais, alors que j'étais sauvé, ou peu s'en fallait, le souvenir de ce que nous avions vécu vint m'assaillir avec une force accrue. Sous ce beau soleil si paisible, les terribles événements de la nuit précédente me paraissaient tenir du rêve. En quelques heures le décor avait changé du tout au tout, et j'avais du mal à croire qu'une situation aussi dramatique ait pu survenir. J'en venais à souhaiter le retour de la tourmente. J'aurais au moins eu à combattre un adversaire loyal et j'aurais pu invoquer des raisons valables pour justifier le fait d'être en vie, alors qu'il était mort. Mais ce matin, seul se dressait devant moi un accusateur muet, le gouffre béant de cette sombre crevasse.

Une solitude dévastatrice avait fondu sur moi. Contrairement à ce que je pensais, j'avais perdu. L'étrange sensation d'être condamné qui m'accompagnait depuis la grotte prenait enfin tout son sens. Je regardai le mur de glace ; si je n'avais pas coupé la corde, je n'aurais pas survécu à une chute. Mais j'étais vivant, et j'allais rentrer chez moi. Et qui donc me croirait quand je raconterais notre aventure ? Qui comprendrait que la situation était à ce point sans issue ? On ne coupe pas une corde ! Comment peut-on en arriver là ? Pourquoi n'as-tu pas fait ceci, ou tenté cela ?... Par avance j'entendais les questions, je voyais des lueurs de doute s'allumer dans les yeux de mes interlocuteurs. Même ceux qui accepteraient mon histoire ne pourraient se départir d'une certaine perplexité. C'était comme ça, injuste et cruel. Sans m'en rendre compte, j'étais en fait parti perdant depuis que Joe s'était cassé la jambe.

Je repoussai ces réflexions amères et poursuivis mon rappel, tout en fouillant la crevasse du regard. Je cherchais – et j'aurais tellement voulu trouver – un signe, même infime, un indice qui me prouverait qu'il était encore en vie. Plus je m'approchais, plus la crevasse grandissait. Des perspectives nouvelles se dévoilaient dans les profondeurs. Les yeux braqués sur l'ouverture béante, je n'apercevais toujours rien, et les dernières miettes d'espoir s'envolaient peu à peu. Il était impensable qu'il ait pu survivre à une chute dans un tel abîme ; et quand bien même il serait encore en vie, que pouvais-je faire pour lui ? Je n'avais pas de corde assez longue, ni avec moi, ni même au camp de base. Comment aurais-je pu atteindre de si grandes profondeurs ? Et puis les forces me manquaient pour m'atteler à une tâche d'une telle envergure. Descendre dans cette crevasse relevait de la folie, cela ne servirait à rien. Je m'étais assez frotté à la mort, je n'avais plus le courage d'affronter un tel risque.

– Joe !

Je criai de toutes mes forces, mais le son se répercuta et se perdit dans l'ombre glauque ; mes cris me parurent bien dérisoires.

L'adversaire était décidément trop fort. La vérité crevait les yeux. Je ne pouvais même plus faire semblant de croire que Joe était encore vivant. Tout me prouvait le contraire, et je n'avais refusé d'admettre l'irrémédiable que pour sauvegarder ma bonne conscience. J'avais sondé les profondeurs de cet horrible gouffre, j'avais appelé, mais je n'avais obtenu pour toute réponse que l'écho de mes propres cris, puis le silence. Et ce silence confirmait ce que je savais déjà.

Mes pieds touchèrent la neige. Devant moi un vaste tapis blanc descendait en pente douce jusqu'au glacier. D'ici quelques minutes je serais en sécurité. Je me retournai vers la muraille de glace. La corde en avait profondément entaillé le rebord la nuit dernière. Ces marques discrètes témoignaient de mon geste, seul vestige de notre aventure. Là-haut, une fine poussière de neige s'éleva au bord de la falaise et se mit à flotter comme un léger nuage. Je la regardai dériver lentement. Je me trouvais dans un monde minéral, un univers sans âge où des masses de neige, de glace et de rocher se soulevaient lentement, gelaient, dégelaient et se fragmentaient dans de puissants craquements. Quelle folie de vouloir s'y mesurer ! Le blanc voile diaphane avait fini par se poser sur un pont de neige, qui recouvrait en partie la crevasse, un peu plus loin. Joe était certainement passé à travers, et cet épais couvercle m'avait dissimulé son corps. Mais cela ne faisait aucune différence. Il avait dû s'abîmer à une profondeur telle que je n'aurais pas pu l'apercevoir de toute façon.

Je me détournai, réprimant l'envie de retourner vérifier. À quoi bon ? Il me fallait enfin affronter la vérité. Je ne pouvais pas passer la journée à tourner autour de cette crevasse pour chercher un corps. Je fis face au glacier et me mis en route, profondément abattu.

Lorsque j'eus atteint la glace, je me débarrassai de mon sac, le posai par terre et m'assis. Pendant un long moment, je fixai mes chaussures d'un air morne, pour ne pas me retourner vers cette montagne dont je ne pouvais me détacher. Pourtant, peu à peu un sentiment de soulagement s'infiltrait en moi, emplissant toutes mes pensées. J'ai réussi ! Je revivais les longues journées que nous avions passées dans la paroi, et sur l'arête. Six jours seulement, mais d'une telle densité qu'ils pesaient aussi lourd dans ma vie qu'une année entière. Cerné de hautes parois, le glacier se transformait en four solaire. La chaleur et la luminosité commençaient à m'étourdir, et je m'étais dépouillé de mes vêtements chauds sans même y penser. J'agissais comme un automate. La descente et le rappel ne m'avaient demandé aucun effort de volonté ; j'avais l'impression d'avoir été transporté sur le glacier d'un coup de baguette magique. Déjà, le souvenir des événements de la journée se fondait dans un flot d'émotions confuses et de pensées floues. Le manque d'eau et de nourriture avait eu raison de moi, j'avais atteint le fond de l'épuisement. Je me retournai vers la falaise de glace. D'ici, elle n'était plus aussi imposante, un simple accident du relief. Je ne serais jamais capable d'y remonter. Arriverais-je seulement à rejoindre le camp de base ?... Si j'envisageais de revenir pour tenter de le retrouver, il faudrait d'abord que je reprenne des forces, et cela prendrait des jours. Peut-être est-ce mieux ainsi, Joe. Tu es mort... Je parlais à mi-voix, à l'adresse de la falaise de glace. Et si je l'avais trouvé vivant mais affreusement blessé ? Cette idée m'épouvantait. J'aurais été obligé de le laisser là et d'aller chercher du secours. Mais ici, personne ne pouvait nous aider. Et lorsque j'aurais enfin eu la force de revenir le chercher, il aurait été mort, après une longue agonie solitaire dans la glace.

Je murmurai : « Oui, cela vaut mieux. »

Je me traînai péniblement dans la neige mouillée qui recouvrait le glacier, tournant le dos au Siula Grande. Je sentais sa présence ; il était aux aguets derrière moi, et je brûlais de me retourner et de le regarder une fois encore. Mais je continuai mon chemin, tête baissée, les yeux fixés sur la neige. Je ne me retournerais pas avant d'avoir atteint la zone crevassée à l'extrémité du glacier.

Sur le front du glacier, la forte poussée de la glace contre les rochers et les moraines avait provoqué des torsions, des fractures, et des centaines de crevasses béaient à cet endroit. Si certaines étaient bien visibles, d'autres, recouvertes de neige, présentaient un danger d'autant plus réel que séracs et vagues de glace les dissimulaient au regard. Je n'étais pas encordé et je me sentais particulièrement vulnérable.

L'espèce de paranoïa qui s'était emparée de moi le matin revint de plus belle. J'avais marché dans une sorte de brouillard, souffrant de la chaleur et de la soif, et j'avais complètement perdu de vue le chemin que nous avions suivi à l'aller. Je sentais la panique me gagner. Mon regard errait dans ce dédale, se promenant d'une crevasse à l'autre. Étions-nous passés sous celle-ci, ou avions-nous traversé celle-là ? À moins qu'il s'agisse de cette autre, plus loin ? J'essayais de rappeler mes souvenirs, mais tout se brouillait dans mon cerveau embrumé. Je finis par m'engager malgré tout dans le labyrinthe, complètement désorienté. Je scrutais désespérément les quelques mètres carrés qui m'entouraient, avançant au hasard dans ce lacis, zigzaguant, revenant sur mes pas. L'angoisse me tenaillait ; à chaque pas je redoutais de sentir la neige céder sous moi et d'être précipité à mon tour dans le vide.

Quand j'eus enfin atteint les moraines je m'écroulai contre un rocher, et mon sac sous la tête, j'attendis que ma peur s'évapore.

Malgré ma fatigue, une soif dévorante me poussait à reprendre ma route. J'avais pris la direction du torrent qui surgissait des moraines pour alimenter les lacs, au-dessus de notre camp. Il devait y avoir au moins sept kilomètres à vol d'oiseau, ce qui représentait encore quelques bonnes heures de marche. Mais je pourrais trouver de quoi boire à mi-chemin, à un endroit que nous avions repéré à l'aller, où la neige fondait sur un énorme bloc de granit arrondi. Je sentais l'eau sourdre autour de moi. Elle suintait entre les rochers, à mes pieds, je l'entendais gargouiller au fond des fissures, entre les blocs, mais elle restait hors de portée.

Quelques mètres plus loin, je m'arrêtai et me tournai une dernière fois vers le Siula. Je le voyais encore presque en entier ; seules les pentes inférieures – et la muraille de glace – étaient cachées par le glacier. Joe était resté là-bas, enseveli dans son linceul de neige. Tout sentiment de culpabilité m'avait quitté. Je ne ressentais plus que du chagrin, une sourde douleur, et un immense vide. Tout ça pour en arriver là, se retrouver seul au milieu de la caillasse. Une terrible pitié et la sensation d'un affreux gâchis me nouaient la gorge. Les mots ne venaient pas; j'aurais voulu lui dire un tranquille adieu, mais c'était impossible. Il avait disparu pour toujours. Au fil des années, et de l'avance du glacier, son corps descendrait jusqu'ici, mais il ne resterait plus en moi qu'un vague souvenir. N'avais-je pas déjà commencé à l'oublier?

Je progressais avec peine à travers ce chaos de blocs et de pierraille. Je me retournai encore une fois, le Siula Grande avait disparu. Je m'effondrai contre un rocher, donnant libre cours à ma peine et à mon chagrin. Cette descente tournait au calvaire. Elle n'en finissait pas, tout se brouillait dans ma tête, les immenses champs de rochers, le brûlant soleil de midi et la soif qui était devenue insoutenable. Je n'avais plus une seule goutte de salive pour humecter ma langue râpeuse. Mes jambes pesaient des tonnes. J'étais si affaibli que je n'arrêtais pas de trébucher et de tomber. Si par malheur des pierres instables glissaient sous mes pieds, j'étais totalement incapable de me retenir et je m'écroulais lamentablement sur le sol. Je vacillais, appuyé sur mon piolet, cherchant l'appui des rochers. Mais même le granit rugueux n'éveillait aucune sensation dans mes doigts gelés. La chaleur du soleil n'y avait rien changé. Au bout d'une heure, j'aperçus le gros bloc arrondi. Ses flaques humides miroitaient. J'accélérai le pas; à la seule idée de boire je retrouvais toute mon énergie.

Mais après l'avoir atteint et m'être débarrassé de mon sac, je réalisai qu'il n'y avait pas assez d'eau pour étancher ma soif. Je me mis à construire une sorte de petit bassin à la base du rocher. L'eau tombait goutte à goutte et le remplissait avec une lenteur désespérante, ne m'offrant à la fin qu'une mince gorgée d'eau sablonneuse.

À plat ventre, je lapais quelques gouttes, j'attendais, puis je recommençais. À cette allure, je ne pourrais jamais apaiser ma soif! Un claquement se fit entendre au-dessus de ma tête. Je me jetai de côté, tandis qu'une poignée de gros cailloux crépitait autour de moi. J'hésitai un instant avant de retourner à mon bassin. À l'aller, nous nous étions arrêtés ici, et le même phénomène s'était produit. Nous nous étions éloignés en riant de notre peur, et Joe avait surnommé l'endroit « l'allée des Bombes ». En fondant au-dessus du bloc, la neige laissait régulièrement échapper une volée de pierres qui bombardaient ainsi les alentours.

Assis sur mon sac, je recrachais des petits cailloux. Autour du rocher, dans le gravier boueux, on voyait encore nos empreintes, seules traces de notre passage. Au milieu de ce vaste chaos morainique, j'avais choisi de me reposer à l'endroit précis où m'attendaient des souvenirs. Je me sentais terriblement seul. Six jours plus tôt, nous nous étions assis sur ces cailloux. Nous débordions d'énergie, heureux d'entamer bientôt l'ascension. Des souvenirs vides, maintenant. J'examinai les moraines; les lacs se trouvaient juste un peu plus bas. Ma solitude allait bientôt prendre fin. D'ici une heure, j'aurais atteint le camp de base et tout serait terminé.

Je me dirigeai d'un pas ferme dans cette direction, l'eau m'avait revigoré. Pourtant une sourde inquiétude s'était emparée de moi; il allait bien falloir que j'explique à Richard ce qui s'était passé. D'ailleurs tout le monde voudrait savoir. Je ne voulais pas y penser... Si je lui racontais toute la vérité, je serais ensuite obligé de dire la même chose aux autres. Et je n'imaginais que trop bien leur scepticisme et leurs critiques. Je ne me sentais pas le courage d'y faire face. D'ailleurs je ne devrais pas avoir à me justifier ! La culpabilité et la colère s'affrontaient en moi et je n'arrivais pas à me décider. J'étais persuadé d'avoir agi comme il le fallait et je n'avais pas honte de mon geste. Si je dissimulais une partie de la vérité, s'agirait-il vraiment d'un mensonge ? Je m'éviterais ainsi beaucoup de peines et d'angoisses inutiles.

Pourquoi veux-tu leur dire que tu as coupé la corde ? Ils ne sauront jamais ce qui s'est passé réellement, alors, quelle différence ? Il n'y a qu'à leur dire qu'il est tombé dans une crevasse sur le glacier, au retour. Oui, c'est ça ! Je leur dirai que nous n'étions pas encordés. Un accident idiot, mais après tout, combien d'alpinistes ont péri de cette façon ! Il est mort, et les circonstances de sa mort n'ont que peu d'importance. Je ne l'ai pas tué. Je suis moi-même un rescapé... Pourquoi compliquer les choses ? Je ne peux tout de même pas leur dire... Bon Dieu ! J'ai du mal à y croire moi-même... Alors comment pourront-ils accepter, eux ?

J'avais déjà atteint le premier lac et j'étais encore en train de me débattre dans ce dilemme. La vérité ne pouvait que me nuire. Rien qu'à l'idée de ce que diraient ses parents... Je m'arrêtai au bord du lac pour boire tout mon soûl, l'esprit ailleurs, harcelé par cette question insoluble. D'un côté, ma raison me poussait à travestir les faits, m'offrant ainsi une solution logique, incontournable. Pourtant ma conscience renâclait encore ; la culpabilité, toujours. Par moments, j'arrivais presque à me convaincre que je n'avais pas eu d'autre choix que de couper cette corde, mais une petite voix insidieuse me susurrait le contraire l'instant d'après. Ce geste avait quelque chose de terrifiant. Rien ne pouvait le justifier, pas même l'instinct de conservation. J'avais fini par tisser un réseau d'arguments contraires et de sombres pensées si complexe que je m'y débattais avec angoisse, englué dans une situation inextricable. Ma lâcheté et ma culpabilité me paraissaient si flagrantes que je me résignai ; je devrais subir le jugement des autres. Ce ne serait que justice – après tout, ne l'avais-je pas laissé pour mort, alors qu'il avait peut-être survécu, au fond de cette crevasse ? Ne s'agissait-il pas là d'un acte criminel ? Mes amis me croiraient et me comprendraient. Les autres étaient libres de penser ce qu'il leur plairait, et s'ils me condamnaient, peut-être le méritais-je, après tout.

Après avoir dépassé le second lac, j'escaladai le dernier ressaut morainique. Les deux tentes se profilaient, un peu plus bas ; je me précipitai sur une pente où poussaient des plantes épineuses, poussé par la faim, la soif et l'impérieux besoin de soigner mes mains. Dans ma hâte, je courais presque ; la vue des tentes avait chassé mes soucis. Une petite butte me força à ralentir. Lorsque j'arrivai en haut de cette élévation, j'aperçus Richard ; il se dirigeait lentement dans ma direction, un petit sac dans le dos. Il ne m'avait pas entendu. Je restai sur place, incapable de bouger, de proférer un son ; cette soudaine apparition m'avait causé un choc. J'attendais qu'il arrive, envahi par une immense lassitude. C'était fini, et je me sentais soudain complètement vidé, épuisé, j'avais seulement envie de pleurer, mais mes yeux restaient désespérément secs.

Richard leva les yeux et me vit. Sur son visage l'expression d'anxiété se mua en surprise. Il eut un large sourire, et ses yeux riaient tandis que je courais vers lui :

– Simon ! Je suis content de te voir. Je me faisais du souci.

Je ne trouvai rien à lui répondre, je me contentai de le fixer d'un regard sans expression.

Interdit, il regarda derrière moi, cherchant Joe. Peut-être avait-il lu dans mes yeux qu'il était arrivé quelque chose, peut-être s'attendait-il déjà au pire...

– Joe ?

– Joe est mort.

– Mort ?

Je fis signe que oui. Nous ne disions mot, incapables même de nous regarder en face. Je laissai tomber mon sac et m'affalai lourdement sur le sol. Je sentais peser sur mes épaules une terrible fatigue.

– Tu as un air épouvantable !

Je ne répondis pas. Je me torturais l'esprit, ne sachant pas encore ce que j'allais lui dire. J'avais si bien préparé mon mensonge, pourtant je n'avais pas la force... Accablé, je regardais mes mains.

– Tiens, mange ça, dit-il en me tendant une barre de chocolat. J'ai un réchaud. Je vais te faire du thé. Je partais à votre recherche, je pensais que vous étiez quelque part là-dedans, blessés... Est-ce que Joe est tombé ? Que s'est-il passé ?

– Oui, il est tombé. Je ne pouvais rien faire.

J'avais débité ces mots sur un ton monocorde.

La conversation avait repris. Nous parlions avec nervosité, par bribes. Il sentait que j'avais besoin de reprendre mes esprits. Je le regardais préparer le thé, sortir de la nourriture, fouiller dans sa trousse à pharmacie. Pour finir, il me la tendit, et je la pris sans un mot. Je lui étais reconnaissant d'être là, une bouffée d'affection m'envahit. Il avait toutes les chances de se tuer sur le glacier en partant ainsi à notre recherche, et je me demandais s'il avait pris conscience des risques qu'il courait. Il leva les yeux et rencontra mon regard. Simultanément, un sourire naquit sur nos visages.

Il faisait chaud sur cette petite butte. Je me sentais bien, et avant même de réaliser ce que je faisais, j'étais en train de raconter à Richard toute notre aventure. Il écoutait sans un mot, sans m'interrompre. Aucune surprise ne se lisait dans ses yeux. Tant pis si la vérité devait me porter préjudice, j'avais un profond besoin de raconter à quelqu'un tout ce que j'avais vécu avec Joe, dans la montagne, la descente dans la tempête, la façon dont nous avions lutté, ensemble, jusqu'au bout. Après toutes ces heures de souffrance, de combat acharné, d'espoirs, comment pourrais-je affirmer froidement qu'il était bêtement tombé dans une crevasse en traversant le glacier ? Ce serait trop injuste envers lui. Ne serait-ce que parce que je l'avais abandonné, je lui devais la vérité. Quand j'eus fini de parler, Richard me regarda :

– J'étais certain qu'il vous était arrivé quelque chose. Je suis content que tu t'en sois sorti.

Il ramassa les provisions et les fourra dans mon sac qu'il posa sur son dos, par-dessus le sien. Il prit le chemin du retour, et je lui emboîtai le pas.

Je passai le reste de la journée vautré au soleil à côté de ma tente, mon équipement étalé tout autour. Nous ne parlions plus de Joe. Richard avait préparé un repas et du thé dont j'ingurgitais des tasses et des tasses. Puis il s'était installé à côté de moi et m'avait raconté son interminable attente. Il en avait conclu qu'un malheur nous était arrivé et, n'y tenant plus, il avait décidé de partir à notre recherche. Je m'endormais parfois, ne me réveillant que pour me gaver ou parler avec Richard. Je redécouvrais un luxe que j'avais oublié. Je me laissais envahir par la paresse et le bien-être, mes forces revenaient peu à peu.

En début de soirée, les nuages venus comme d'habitude de l'est s'amoncelèrent, le tonnerre gronda et des gouttes se mirent à tomber. Il ne nous restait plus qu'à nous réfugier dans la grande tente ronde que j'avais évitée jusque-là. Richard alla chercher son sac de couchage et se mit en devoir de préparer le dîner sur les deux réchauds. Pendant que nous mangions, la neige remplaça la pluie. La tente était maintenant secouée par un vent violent et la température était tombée de façon sensible.

Étendus côte à côte, nous écoutions hurler la tempête. À la lumière vacillante de la bougie, j'aperçus les affaires de Joe, entassées pêle-mêle dans un coin. Je frissonnai en repensant à la nuit précédente et, tandis que la torpeur me gagnait, des images de tempête se pressaient dans ma tête. Ça devait être terrible, là-haut. Les avalanches devaient dévaler la face, remplir la crevasse, l'ensevelir. Épuisé, je me laissai enfin glisser dans un profond sommeil sans rêves.

Un si lointain reflet

Des petites cascades de neige ruisselaient autour de moi avec un bruit d'étoffe froissée avant de s'engouffrer dans l'abîme. Je ne quittais pas des yeux la broche à glace dont la taille se réduisait peu à peu. Le pont de neige qui avait arrêté ma chute m'apparaissait maintenant en entier. Plus bas s'ouvrait une vaste caverne qui se perdait au loin dans l'ombre. Je laissai filer la corde régulièrement.

Une envie folle d'arrêter ce rappel me tenaillait. Je n'avais aucune idée de ce qui m'attendait là-dessous. Je n'avais qu'une certitude : Simon était parti, et il ne reviendrait pas. Ce qui signifiait que j'étais perdu si je ne tentais rien. Je savais maintenant que je n'avais aucune chance de sortir par le haut – de l'autre côté non plus, à moins de vouloir en finir tout de suite. J'avais envisagé cette solution, mais même au plus profond de mon désespoir, je n'avais pas trouvé le courage de me suicider. Si je restais sur le pont de neige, je finirais bien par succomber au froid et à la fatigue. Mais au bout de combien de temps ? Et l'idée de cette longue attente solitaire m'affolait ; c'est pourquoi j'avais décidé de tenter ma chance par ici. Si au bout du rappel je ne trouvais pas d'issue, au moins trouverais-je la mort à coup sûr – je préférais aller à sa rencontre plutôt que d'attendre qu'elle vienne à moi. Il était maintenant trop tard pour revenir en arrière ; pourtant tout mon être se rebellait et me criait d'arrêter.

Je n'osais pas regarder vers le bas, j'avais trop peur de n'y découvrir qu'un abîme sans fond. Dans ce cas, je stopperais le rappel, je le savais bien. Et puis après ? Il s'ensuivrait une lutte désespérée pour rester accroché à cette corde à tout prix, j'essaierais de remonter sans y arriver, et je me battrais pendant d'interminables minutes... Non ! Je préférais encore ne pas regarder, le courage me manquait. J'avais déjà assez de peine à conjurer la peur qui s'était emparée de moi depuis que j'avais entamé la descente... Mais c'était comme ça... J'avais pris une décision et j'étais trop engagé pour reculer. Si la mort m'attendait en bas de cette pente, je la voulais soudaine et rapide. Je gardais les yeux fixés sur la broche qui s'éloignait.

La pente s'accentua et au bout d'une quinzaine de mètres mes jambes rencontrèrent le vide. Instinctivement, je bloquai la corde. J'avais atteint le gouffre. Je regardai la broche, me forçant à relâcher la pression de mes mains sur la corde. Ce geste éveilla soudain en moi une sensation familière. Je me revoyais, debout sur un plongeoir, suivant des yeux quelques gouttes d'eau qui traversaient l'espace avant de tomber dans la piscine, tout en bas. Je prenais mon temps, incapable de me décider, épuisant tous les arguments pour me prouver que je ne risquais rien. Et puis le plongeon, à vous couper le souffle, le soulagement d'être dans l'eau, de rire de mes stupides frayeurs... Des souvenirs qui me ramenaient à la dure réalité : le rappel pourrait très bien se terminer en plongeon si je ne trouvais pas un passage avant d'arriver en bout de corde. Je m'agrippai d'autant plus fort, malgré mes mains gelées... Je finis pourtant par relâcher mon étreinte et la vieille sensation – que la piscine pourrait changer de place, ou bien se vider soudain – revint m'envahir, sauf que, cette fois, je ne savais pas dans quoi j'allais plonger.

Je continuai mon rappel le long d'un mur de glace dur et lisse. Ne voyant plus la broche, je concentrai mon attention sur la glace qui défilait devant mes yeux. La pénombre augmentait et la peur reprit le dessus. Je m'arrêtai de nouveau.

Du fond de mes entrailles jaillit un cri d'angoisse qui se bloqua dans ma gorge. À l'idée de ce que pouvaient receler les profondeurs de ce gouffre hideux, je restai pétrifié d'horreur. Agrippé à la corde, la tête contre la paroi glacée, secoué de spasmes de terreur, je me refusais à plonger mon regard dans les ténèbres. Pourtant je voulais regarder, il fallait à tout prix que je sache ce qui se cachait sous mes pieds. Je n'avais pas le courage de continuer ainsi, dans l'inconnu. Et puis au point où j'en étais... N'avais-je pas déjà atteint le comble de l'épouvante ? Je suivis des yeux la corde qui disparaissait quelques mètres plus haut sous le pont de neige. Désormais, il m'était impossible de remonter. J'examinai le mur de glace contre lequel je m'appuyais, puis celui qui lui faisait face, à trois mètres de là. J'étais suspendu dans un puits de glace. J'esquissai un geste pour me retourner et heurtai violemment mon genou blessé contre la paroi. Je poussai un hurlement de douleur, libérant toute mon angoisse, et lançai un coup d'œil vers le bas. Je m'attendais à voir la corde tournoyer dans le vide, mais ce que je vis me laissa bouche bée. À quelques mètres de moi, au lieu d'un précipice ténébreux, je venais d'apercevoir une vaste surface neigeuse. Je me mis à jurer de stupeur entre mes dents, et des murmures confus m'enveloppèrent. Je lançai un grand cri de joie et de soulagement qui résonna dans les moindres recoins de la crevasse. Je criais, je riais, et l'écho se propageait dans le lointain. J'avais atteint le fond de la crevasse !

Ma joie retomba brusquement lorsque je me décidai à examiner plus avant ce tapis de neige ; des trous de mauvais augure apparaissaient par endroits, menaçants. Je compris qu'il ne s'agissait en fait que d'une sorte de plancher suspendu. Je me tenais dans la partie supérieure d'une grotte en forme de poire. Les parois s'écartaient jusqu'à s'éloigner d'une quinzaine de mètres avant de se rapprocher de nouveau plus bas, là où s'étendait la surface de neige. La grotte faisait bien trente mètres de haut.

J'inspectai cette étrange salle souterraine, essayant de me familiariser avec sa forme et ses dimensions. Un peu plus loin, sur le côté, les murs se rejoignaient presque, mais de la neige avait pu entrer par une étroite brèche, formant une pente arrondie qui s'élevait jusqu'à la voûte. Cette espèce de cône mesurait environ cinq mètres de largeur à la base et à peine un mètre cinquante dans le haut.

Un brillant rai de lumière dorée, issu d'un petit trou dans la voûte, traversait l'espace et venait frapper le mur opposé. Je ne pouvais détacher mon regard de ce rayon de soleil chatoyant ; il provenait du monde extérieur... Fasciné par cette lumière, je me laissai couler le long de la corde, oubliant la fragilité de l'étendue neigeuse. Je n'avais plus qu'à suivre le rayon de soleil, c'était l'évidence même.

La question de savoir comment et quand j'allais l'atteindre ne se posait même pas. Je savais seulement que je devais suivre ce chemin.

Mes angoisses nocturnes s'étaient évanouies en quelques secondes, tout comme le terrible sentiment de claustrophobie qui m'avait accompagné tout au long de cet horrible rappel. Les douze heures éprouvantes que je venais de passer dans une ambiance terrifiante, l'épouvantable silence de la crevasse, tout cela ne m'apparaissait plus que comme un cauchemar enfanté par mon imagination. J'allais enfin pouvoir agir, ramper, grimper, me battre pour essayer d'échapper à cette tombe, et non plus lutter dans le vide, contre la peur et la solitude. En fait, l'inaction avait été ma pire ennemie sur ce pont de neige dont j'étais prisonnier. Alors qu'un plan se dressait maintenant dans ma tête, chassant les fantômes qui m'avaient tourmenté pendant la nuit.

Un incroyable changement venait de s'opérer en moi. À la vue de cette étendue de neige, je me sentais soudain gonflé à bloc, rempli d'espoir et d'énergie ; des dangers me guettaient, et j'étais tout à fait conscient qu'ils pouvaient détruire mes espérances, mais au fond de moi, je me sentais de taille à surmonter tous les obstacles. On m'avait offert cette chance inouïe de m'en sortir, et j'allais la saisir – faisant appel à la moindre parcelle d'énergie qui me restait. J'avais fait le bon choix lorsque, surmontant mes angoisses, j'avais décidé de quitter le pont de neige. À cette pensée, une fierté sans borne et une immense confiance dans l'avenir m'inondaient. J'avais sans aucun doute franchi l'étape la plus dure, désormais rien de pire ne pourrait m'arriver.

Mes pieds frôlèrent la neige et je stoppai la descente. Assis dans mon baudrier, à un mètre du sol, j'examinai la surface avec soin. Ce tapis de fine neige poudreuse ne m'inspirait pas confiance. Sur les bords, c'est-à-dire là où il s'appuyait contre les parois de la crevasse, s'ouvraient des trous sombres. Il s'agissait bien d'une sorte de plafond suspendu en travers de la crevasse qui séparait des profondeurs la salle où je me trouvais. La pente qui me conduirait à l'air libre s'élevait à une douzaine de mètres de moi ; j'aurais voulu pouvoir courir jusqu'à son pied… Je frémis d'impatience, oubliant ma jambe. Tu n'as qu'à traverser en rampant ! Oui, mais, par où ? Droit au milieu ou sur les bords ?

Le choix n'avait rien d'évident. Si jamais je détruisais ce frêle plancher, j'anéantirais du même coup tous mes espoirs d'évasion, et cela, je ne serais pas capable de le supporter. Encore une fois, je contemplai le rayon de soleil, puisant des forces dans cette lumière dorée, et je pris une décision. Je traverserais au milieu ; c'était le chemin le plus court et rien ne m'indiquait que la neige était plus solide sur les bords que dans le centre. Je descendis doucement de quelques centimètres, de façon à pouvoir me tenir assis sur le sol tout en gardant la plus grande partie de mon poids sur la corde. Je me posai précautionneusement sur la neige, la respiration suspendue, les muscles tendus, l'angoisse au ventre. Je percevais avec une acuité décuplée le moindre bruit, le moindre mouvement. Est-ce que je ne vais pas me retrouver brusquement en train de penduler dans le vide ? Centimètre par centimètre, je laissai filer la corde. Enfin je sentis que je reposais complètement sur le sol ; il supportait mon poids. J'avalai une large bouffée d'air et lâchai lentement la corde. Mes mains crispées me faisaient mal.

Pendant quelques minutes je fus incapable de bouger. Il fallait d'abord que je m'habitue à évoluer dans cette situation précaire, à accepter l'idée de me trouver suspendu au-dessus d'un gouffre. Mais à quoi bon tergiverser ? De toute façon, je n'avais pas le choix. Je laissai filer suffisamment de corde pour me permettre de traverser sans avoir à toucher à mon descendeur. Puis, étalé de tout mon long sur le ventre, j'entrepris d'avancer en me tortillant aussi légèrement que possible. À mesure que j'approchais du cône de neige, mon anxiété diminuait. Parfois, un son étouffé coupait court à ma progression ; il signalait qu'un paquet de neige s'était détaché à mon passage. Je restais immobile, en alerte, le cœur battant, et de longues minutes s'écoulaient avant que j'ose avancer de nouveau. À mi-chemin, je réalisai que j'avais dépassé la zone des trous. D'ailleurs je rampais maintenant sur une neige plus épaisse et sensiblement plus solide.

Dix minutes plus tard j'avais atteint la pente conique qui s'élevait en direction de l'orifice lumineux d'où tombait le rayon de soleil. Au-dessus de moi la corde descendait en arc de cercle depuis le pont de neige. Quand je pense que j'aurais pu rester là-haut ! Un frisson me parcourut. J'avais échappé à une lugubre attente ; j'aurais divagué pendant des heures, au bord de la folie, tandis que le froid se serait lentement insinué en moi. Et puis j'aurais finalement doucement glissé vers le néant, mais après combien de jours d'atroce désespoir ?

J'examinai le cône neigeux et pendant un instant je me demandai si je ne m'étais pas bercé de belles illusions. La sortie était si loin, et la pente si raide !

Évidemment je serais assuré par la corde, mais elle finirait par se trouver presque à l'horizontale avec le pont de neige. Je savais ce qui m'attendait en cas de chute ; je crèverais d'abord le tapis de neige, et, après un grand pendule, j'irais heurter la paroi opposée, bien plus bas. Je ne pourrais jamais revenir jusqu'ici, ni remonter sur le pont de neige. Au fond, pourquoi ne pas te décorder ? J'hésitais. Non, j'ai besoin de la sécurité de cette corde...

Une légère brise parcourut la crevasse et je sentis sur mes joues un souffle glacial remonter des profondeurs. Une atmosphère étrange émanait de cette salle ; les murs étaient animés d'un ballet de lueurs chatoyantes et d'ombres bleutées. À travers les reflets opalescents des parois de glace, quelques rochers lançaient leur éclat sombre et humide. Une mystérieuse menace hantait cet endroit, je sentais son haleine froide, et j'avais l'impression d'avoir pénétré dans un lieu sacré, un sanctuaire avec une formidable voûte de cristal et des murs enchâssés de centaines de pierres précieuses. Par-delà l'immense porte formée par le pont de neige, les ombres se fondaient dans l'obscurité au fond de laquelle se dissimulait une autre crypte silencieuse. La présence menaçante était un pur produit de mon imagination, pourtant elle m'obsédait. Je ne pouvais échapper à l'idée qu'une entité, tapie dans les ténèbres depuis des temps immémoriaux, attendait une victime, patiemment. Maintenant elle m'avait à sa merci, et sans cette échelle de lumière qui m'appelait, je serais peut-être resté là à jamais, paralysé, vaincu par cette terrible paix.

Je frissonnai, glacé jusqu'aux os par le froid de la crevasse. Une bouffée de vent venue de l'extérieur saupoudra un peu de neige sur la pente et je regardai, fasciné, cette fine poussière blanche se disperser dans le rayon de soleil. Il était temps de me mettre à grimper.

Je me levai avec précaution, appuyé sur ma jambe gauche, ma jambe blessée pendant à côté, inutilisable. Pendant la nuit les muscles s'étaient raidis et elle était maintenant plus courte que l'autre. La pente devait faire quarante mètres de haut, l'affaire de dix minutes en temps normal. Je ne savais pas très bien comment m'y prendre pour en venir à bout, d'autant plus que l'inclinaison m'inquiétait. Si la pente faisait à peine 45 degrés au départ, elle paraissait quasiment verticale dans les derniers mètres. Mais il était difficile d'en juger d'ici, aussi décidai-je qu'elle ne devait pas excéder 65 degrés ; ce qui n'avait tout de même rien de très encourageant, étant donné les conditions de la neige et mon handicap. Mon pessimisme revenait à la charge ; pour ne pas y céder, je m'évertuais à me répéter que j'aurais bien tort de me plaindre, que j'avais déjà eu beaucoup de chance de trouver une issue.

Mes premiers pas furent hésitants et maladroits. Je commençai par planter profondément mes piolets dans la neige puis me hissai à la force des bras, un système plein d'aléas, qui ne marcherait certainement pas lorsque la pente se redresserait. Qu'un seul piolet lâche et je tomberais. Il fallait trouver une méthode plus efficace et moins dangereuse. Des élancements me traversaient le genou, me rappelant douloureusement à la réalité ; j'étais encore loin d'être sorti d'affaire.

Une séquence de mouvements ! Je me souvenais de la façon dont j'avais pu atteindre le col, avec Simon. Cela me semblait si loin… C'est le seul moyen. Trouver les gestes adéquats et les répéter à chaque pas. Appuyé sur mes piolets, ma jambe valide enfoncée dans la neige, j'essayai de soulever l'autre jambe pour la mettre de côté. Je poussai un gémissement; des os craquaient dans l'articulation mais le genou refusait de se plier. Malgré la douleur je me penchai et creusai une marche, que je damai le mieux possible, avant d'en creuser une seconde, plus petite, juste au-dessus. De nouveau je plantai mes piolets puis, serrant les dents, je soulevai ma jambe; mon pied rencontra la marche inférieure et s'y posa. Alors, prenant appui sur les piolets, je sautai légèrement avec l'autre jambe sur la marche supérieure. Pendant la fraction de seconde où mon poids reposa sur ma jambe blessée, une douleur fulgurante me traversa le genou, mais elle diminua rapidement d'intensité. Je dévidai un chapelet de jurons qui résonnèrent de façon incongrue dans cet environnement. Je me baissai et me mis à creuser deux nouvelles marches, puis je répétai la séquence. Creuser, sauter, se reposer; creuser, sauter, se reposer... Les décharges douloureuses finirent par s'intégrer à cette routine et je n'y prêtai plus grande attention, me concentrant uniquement sur les gestes à accomplir. Malgré le froid, j'étais inondé de sueur. L'effort et la douleur formaient un tout qui réclamait toute mon énergie et mon attention; la notion de temps avait totalement disparu de mon esprit. Je ne voulais pas non plus vérifier combien de mètres j'avais parcourus. Je savais que je progressais avec une lenteur désespérante et pas une fois je ne levai les yeux vers le rayon de soleil.

Au bout de deux heures et demie, j'avais atteint l'endroit où la pente se redressait de façon sensible. Je devais redoubler d'attention dans ce passage, car lorsque je sautais d'une marche à l'autre, tout mon poids portait sur mes piolets enfoncés dans une neige molle et instable. De la précision de mes gestes dépendait ma survie. J'avais déjà évité la chute de justesse par deux fois. Une première fois mon pied avait glissé, retombant brutalement sur la marche qu'il venait de quitter. Mon genou blessé avait encaissé le choc et j'avais bien cru que j'allais défaillir et lâcher prise sous la douleur. Un peu plus haut, j'avais mal calculé mon élan et presque perdu l'équilibre au moment du saut. De nouveau, la violence du mouvement avait provoqué une recrudescence de douleur. Mes cris et mes sanglots de souffrance avaient résonné à travers la vaste salle. Bizarrement, je m'étais senti mal à l'aise en entendant ces plaintes, comme si quelque témoin invisible et muet se tenait à l'écoute et m'observait d'un air désapprobateur.

Le front contre la neige, j'attendais que la douleur redevienne supportable. J'osai un coup d'œil vers la voûte et, à ma grande joie, je vis que le rayon de soleil se trouvait pratiquement à portée de main. J'avais escaladé les deux tiers du cône de neige ! J'examinai la crypte glacée, derrière moi ; vue d'ici, elle avait une allure tout à fait sépulcrale. Je me trouvais à peu près à la même hauteur que le pont de neige et la corde traversait l'espace en arc de cercle, à plus de vingt-cinq mètres au-dessus du sol neigeux. Je repensai aux sombres heures de désespoir que j'avais vécues sur ce lointain perchoir, à ce rappel infernal, aux atroces minutes d'angoisse dans le puits de glace. Que cela me paraissait loin – une éprouvante descente dans les profondeurs et les ténèbres... À présent, je montais vers la lumière, le rayon de soleil était tout proche et j'avais confiance, même si je savais que la bataille n'était pas encore gagnée. Je me remis à tailler des marches dans la neige.

Deux longues heures plus tard, il ne me restait plus que trois mètres à faire. La pente s'était redressée à un point tel que chaque pas était une véritable gageure. Je me tenais par miracle, à la limite du décrochage. Heureusement les conditions d'ancrage des piolets s'étaient considérablement améliorées. Non seulement la neige était plus compacte ici, mais je pouvais même planter mes piolets dans la paroi de glace qui jouxtait le cône neigeux. J'étais exténué. La douleur dans mon genou avait atteint son paroxysme et ne diminuait plus, même lorsque je m'arrêtais. Malgré tous mes efforts pour faire porter mon poids sur mes bras, je ne pouvais éviter de m'appuyer sur ma jambe blessée ; une fraction de seconde pendant laquelle je sentais les os craquer tandis que de terribles élancements me déchiraient le genou. Mais sur les derniers mètres, grâce à la nouvelle solidité de mon ancrage, je parvins à me tracter uniquement sur les bras, épargnant ainsi ma jambe. Soudain mon casque heurta le plafond de neige. Je levai la tête. La lumière m'aveugla. Lorsque je me retournai, les profondeurs de la crevasse avaient disparu dans l'obscurité. Je plaçai mon pied dans la marche que je venais de creuser, rassemblai mes dernières forces et pris mon élan.

Si quelqu'un avait assisté à ma soudaine apparition, il aurait pour le moins trouvé la scène cocasse. Ma tête creva la neige et j'émergeai brusquement à l'air libre comme une marmotte sortant de son terrier. En appui sur une jambe et un piolet, la tête seule hors de la crevasse, je restai un long moment immobile à admirer le fabuleux décor qui m'entourait et que je découvrais à nouveau. Ces formidables montagnes pourtant familières m'apparaissaient aujourd'hui seulement dans toute leur magnificence. Jamais paysage ne m'avait paru aussi beau. Je contemplai d'un regard neuf ces arêtes finement ciselées, ces vastes parois glacées et les sombres moraines qui déroulaient au loin leurs vastes ondulations. Dans un ciel d'azur, un soleil aveuglant dardait ses rayons brûlants. Je restais là, interdit, absorbant peu à peu l'incroyable réalité : j'étais enfin libre ! J'avais du mal à y croire après toutes ces heures d'angoisse.

Enfin, je me hissai hors de la crevasse et m'affalai à l'écart du gouffre béant, tout étourdi par un intense sentiment de soulagement. Il me semblait avoir mené une lutte sans merci contre un ennemi plus fort que moi – elle avait duré trop longtemps, j'en frissonnais encore. La peur et le désespoir m'avaient recouvert d'une épaisse gangue glacée dont je ne parviendrais pas à me défaire d'un seul coup ; il fallait lui laisser le temps de fondre au soleil. Je gisais dans la neige, le visage tourné vers le glacier, l'esprit vide. J'avais mobilisé toute mon énergie, usé mes dernières forces et je m'abandonnais tout entier à l'immense faiblesse qui s'était emparée de moi depuis que j'avais échappé à la crevasse. Je ne voulais pas risquer le moindre geste de peur de briser cet instant de béatitude. Au sortir du cauchemar, après des heures de tension insupportable, je ne voulais plus que jouir par toutes les fibres de mon corps de cette merveilleuse sensation de bien-être. Apaisé, je me laissais aller à la somnolence – les sombres images commençaient à s'effacer. Mes espoirs les plus fous s'étaient réalisés. J'avais réussi malgré les embûches et pour l'instant je me refusais à penser plus loin.

Je ne dormais pas ; je flottais dans une douce torpeur, sans bouger. Seuls mes yeux émerveillés se promenaient sur le paysage, le redécouvrant tranquillement. Le glacier s'allongeait vers le nord en une large courbe, sa grande langue glacée venait butter au loin contre les moraines, formant un impénétrable lacis de crevasses. Puis un énorme chaos morainique se précipitait dans la vallée, les blocs et les rochers cédant peu à peu la place aux éboulis. Enchâssé dans cette caillasse, un lac tout rond brillait dans le lointain. Quelques reflets scintillants révélaient le second lac retenu par un barrage rocailleux au-delà duquel, je le savais, s'élevaient nos tentes, cachées pour l'instant par le Sarapo.

Malgré la splendeur de mon nouvel univers et la douce chaleur qui me pénétrait, j'étais encore loin d'être sorti d'affaire; cette vérité pénétra lentement dans mon cerveau engourdi et une sourde angoisse me serra la poitrine. Il me restait une soixantaine de mètres à descendre pour atteindre le glacier et près de dix kilomètres à parcourir jusqu'au camp de base. L'épisode de la crevasse ne représentait que le début d'une bien longue marche. Quel idiot je faisais! Comment avais-je pu penser que j'étais sauvé? À la vue de ces immenses et lointaines moraines, du vague scintillement des lacs, je me sentais écrasé. Je n'avais plus rien à manger, plus rien à boire, j'étais blessé. La présence menaçante avait repris sa place à mes côtés. Je n'arriverais jamais à lui échapper. Quoi que je fasse, de nouveaux obstacles se dresseraient sur mon chemin, l'un après l'autre, et je serais forcé d'abandonner. Là-bas les moraines me narguaient et le scintillement des lacs ne m'offrait qu'un mirage. Cet endroit se révélait parfaitement hostile; il s'en dégageait une atmosphère maléfique qui pesait lourdement sur moi. Ce monde n'avait plus rien à voir avec le merveilleux décor que nous avions traversé, pleins d'espoir, dans un lointain passé.

Je m'assis et, les yeux fixés sur mon baudrier d'où sortait un bout de corde coupée, je m'exclamai : « Quelle situation ridicule ! » J'avais l'impression de m'adresser à un interlocuteur invisible auquel je voulais prouver que je n'étais pas encore battu.

Car je n'avais pas dit mon dernier mot, je devais au moins tout tenter. Je finirais sans doute par mourir, là-bas, au milieu des blocs, pourtant je ne ressentais aucune émotion particulière ; c'était dans l'ordre des choses. En revanche, j'avais un but, et je préférais partir à la rencontre de la mort plutôt que de baisser les bras et de l'attendre ici sans bouger. Dans la crevasse, la peur de mourir avait été intolérable ; plus maintenant. Je me sentais prêt à combattre la mort, à l'affronter. Il ne s'agissait plus d'une horrible chose qui viendrait me saisir sournoisement. Elle se tenait à mes côtés, aussi présente et tangible que ma jambe brisée ou mes doigts gelés, elle ne m'effrayait plus. Quand je tomberai, ma jambe me fera souffrir, et quand je n'aurai plus la force de me relever, je mourrai. Une réalité toute simple, qui me réconfortait, aussi étrange que cela puisse paraître. Je regardais avec des forces renouvelées le long chemin qui s'étendait en avant de moi et se perdait au loin dans la brume. Je savais que j'avais un rôle à jouer dans ce décor ; jamais encore une évidence ne m'était apparue avec autant d'intensité.

Je n'avais jamais non plus connu une solitude aussi totale et, paradoxalement, malgré la peur que j'éprouvais, je puisais dans cette situation une grande force. Je frémissais d'impatience. Je me trouvais engagé contre mon gré dans un jeu, et je devais maintenant pousser mes pions jusqu'au bout. Le sort m'avait joué un drôle de tour ! Alors que nous étions simplement venus chercher l'aventure, je m'étais trouvé entraîné dans une quête bien plus périlleuse que tout ce que j'avais pu imaginer. En face de moi se dressait le véritable défi. Cette idée m'exaltait sans pour autant chasser l'effroyable sentiment de solitude qui m'écrasait, ni raccourcir la distance qui me séparait du camp. À la vue de ces interminables moraines, mon enthousiasme retomba. J'étais seul, abandonné dans cet endroit hostile. Au milieu de ce magma de pensées confuses, je gardais en tout cas un sens aigu de la réalité. Avant tout, j'étais sorti de la crevasse, en pleine possession de mes moyens, et je me sentais capable de prendre mon destin en mains. Je me dressais en face d'un univers silencieux et minéral, d'un vaste ciel vide et, tout bien pesé, j'avais pris une décision. Aucune force ténébreuse ne cherchait à contrer mes actions. Une voix, froidement rationnelle, me l'assurait, coupant court à toutes ces élucubrations.

Dans mon esprit deux tendances se combattaient. D'un côté la *voix*, claire et sûre d'elle-même, qui me commandait, et à laquelle je finissais toujours par obéir. Et de l'autre les fantasmes, tout un monde d'images floues, de souvenirs confus et de vagues espoirs où je me laissais glisser en attendant que la *voix* me rappelle à l'ordre. Il fallait d'abord que je rejoigne le glacier. Je savais qu'ensuite il me faudrait ramper, mais je me refusais à y penser. Si ma perception des choses immédiates s'était affinée, ma vision de l'avenir s'était rétrécie. Je n'envisageais ma progression qu'étape par étape. Pour l'instant, atteindre le glacier était mon prochain objectif. La *voix* me dictait la marche à suivre, tandis que mon esprit vagabondait.

J'entrepris de descendre à cloche-pied, en diagonale, afin d'éviter un raide ressaut rocheux. Un peu plus bas, la paroi s'inclinait et rejoignait le glacier en pente douce. Je levai les yeux vers la muraille de glace au-dessus de la crevasse. Ce n'était plus qu'un mauvais souvenir. Soudain, j'aperçus la corde qui pendait vers la droite et sus avec certitude que Simon l'avait vue également. Sa couleur éclatante sur la neige dispersa les derniers doutes que j'avais – il avait survécu et vu la crevasse. Il n'était pas allé chercher du secours. À la vue du gouffre, certain que j'étais mort, il était parti, définitivement. Je détournai les yeux et regardai la pente devant moi.

Mirages

Une épaisse couche de neige ramollie par le soleil recouvrait la pente. Lourdement appuyé sur mes piolets, je m'appliquais à effectuer un rapide saut vers l'avant. À la réception, il me fallait planter mon pied valide avec force pour éviter la glissade. La jambe blessée traînait de côté et malgré toutes mes précautions, elle heurtait des aspérités, encaissant des secousses qui se répercutaient douloureusement dans mon genou. Quand je me décidai à lever la tête, je vis avec plaisir qu'il ne me restait plus qu'une vingtaine de mètres à parcourir, et qu'aucune rimaye ne me séparait du glacier. En revanche, des plaques de glace vive apparaissaient par-ci par-là sous la neige. Encore quelques sauts, et l'inévitable se produisit. Au moment où mon crampon toucha la glace, je m'étalai et glissai de côté d'abord, puis tête la première. Je m'étais préparé à cette chute mais la vitesse me surprit. Mes pieds et mes jambes ricochèrent sur la surface glacée et des décharges de douleur me transpercèrent. Je fermai les yeux, serrai les dents ; la glissade fut brève mais particulièrement pénible.

J'atterris dans un tas de neige où je restai immobile un long moment. Une atroce douleur transperçait ma jambe blessée, d'autant plus qu'elle était repliée sous l'autre. Mais ma tentative pour la dégager se solda par une recrudescence des élancements ; je hurlai et retombai en arrière. Les pointes de mes crampons s'étaient prises dans la guêtre de ma jambe valide, ce qui avait provoqué une nouvelle distorsion de mon genou droit. Au bout d'un moment, je me penchai en avant pour essayer de décrocher le crampon, mais ce simple mouvement me fit atrocement souffrir. Je pensai soudain à me servir de mon piolet. Il me permettrait d'opérer de loin. Enfin libéré, j'étendis doucement ma jambe et la douleur diminua aussitôt.

À quelques mètres de moi se dessinaient des empreintes de pas. Quel réconfort d'avoir trouvé cette trace ! Je suivis du regard les petites marques qui serpentaient à travers le glacier et disparaissaient un peu plus loin au détour d'une crevasse arrondie. Le glacier se perdait en longues ondulations et, entre chaque vague glacée, la trace se déroulait, disparaissant d'un côté pour reparaître sur la crête suivante. J'allais devoir progresser en rampant. Dans cette position, ma vue ne porterait pas loin et j'avais toutes les chances de me perdre. Simon connaissait l'itinéraire ; n'étant pas encordé, il devait avoir choisi le chemin le moins dangereux. Je n'avais plus qu'à le suivre.

Il me fallut faire plusieurs tentatives, expérimenter plusieurs méthodes, avant de trouver la plus efficace. La neige chauffée par le soleil rendait toute glissade difficile, et je compris très rapidement que si j'essayais d'avancer face à la pente en me traînant sur le genou et les bras, je n'irais pas très loin. En revanche, si je me couchais sur le côté gauche, je pouvais plus facilement éviter de cogner ma jambe blessée. Dans cette position, en me tirant sur les piolets et en poussant avec la jambe gauche, j'arriverais à progresser à un assez bon rythme. Je me mis à avancer de cette façon, ma jambe droite traînant derrière moi comme un boulet. De temps à autre je m'arrêtais, suçais quelques poignées de neige et me reposais. Alors, les yeux perdus sur la formidable face ouest du Siula, je me laissais envahir par des songeries sans queue ni tête. Mais la *voix* venait toujours interrompre brutalement ma rêverie ; après un regard coupable à ma montre, je poursuivais mon chemin.

À chaque arrêt, la fatigue et la chaleur me faisaient sombrer dans une sorte de torpeur, mais la *voix* et la conscience que les aiguilles de ma montre continuaient à tourner me poussaient à aller de l'avant. Il était déjà trois heures de l'après-midi, ce qui signifiait qu'il ne me restait plus que trois heures et demie de jour. Et j'avançais si lentement... Pourtant je savais que tant que j'obéirais à la *voix*, tout irait pour le mieux. Je finis par trouver une tactique : je regardais en avant, notais quelque détail caractéristique, puis vérifiais l'heure.

La *voix* me commandait alors de me rendre en une demi-heure à l'endroit choisi. Parfois je me surprenais à ralentir ; mon esprit s'était évadé, une fois de plus, et j'avais oublié mon objectif ; alors je mettais les bouchées doubles pour rattraper le temps perdu, progressant comme un automate, dans un profond état d'hébétude. J'avais trouvé un moyen infaillible. Je n'avais qu'à obéir à cette *voix* qui m'ordonnait d'atteindre un certain point dans un certain laps de temps.

Je me propulsais ainsi sur cet océan de glace. Bientôt d'autres voix vinrent se mêler à la première, des voix qui discutaient tranquillement de ce que faisaient les gens à Sheffield en ce moment, des voix qui me parlaient de ce pub au toit de chaume, à Harome, où j'avais l'habitude d'aller boire un verre, avant mon départ. J'espérais que ma mère était en train de prier pour moi, comme tous les jours ; à cette évocation, mes yeux se remplirent de larmes. Je fredonnai une chanson, ressassant les paroles au rythme de ma progression. Des pensées s'embrouillaient dans ma tête, des images défilaient devant mes yeux jusqu'à ce que je finisse par m'arrêter et m'asseoir en vacillant. Mais alors la *voix* coupait court à ces futilités et me disait d'un ton autoritaire que j'avais pris du retard. Je sursautais et reprenais ma reptation. J'étais scindé en deux parties, l'une qui analysait la situation sans concession, décidait souverainement de ce qu'il convenait de faire et m'obligeait à obéir ; et l'autre, qui avait pratiquement sombré dans la folie, le délire – une succession floue d'images sans suite, de fantasmes si vivants et si réels que je n'arrivais pas à échapper à leur magie. Je finis même par me demander si je n'étais pas la proie d'hallucinations.

Tous mes gestes, mes pensées, étaient teintés d'une infinie lassitude. Dans ma tête un film se déroulait au ralenti. Une telle confusion régnait dans mon esprit que je finis par perdre toute notion de temps. Je m'arrêtais de plus en plus souvent, trouvant à chaque fois une bonne raison de ne pas me sentir coupable. Mes mains, surtout, m'offraient une excellente excuse. Il me fallait vérifier que les gelures ne s'étendaient pas. Je retirais nonchalamment une moufle, commençais distraitement à tirer sur un gant, l'esprit ailleurs. Mais la *voix* me rappelait toujours à l'ordre, je renfilais alors en hâte ma moufle et me remettais à ramper, les mains dans la neige. Bien entendu, elles redevenaient très rapidement insensibles, et je recommençais mon petit manège. J'étais de bonne foi quand je décidais de m'arrêter pour les masser ou les chauffer au soleil, mais en général, ces bonnes intentions tournaient court et je me contentais de regarder mes mains d'un œil vague, jusqu'à ce que la *voix* me fasse reprendre contact avec la réalité.

Au bout de deux heures, j'avais dépassé la crevasse arrondie. Tournant le dos au Siula, je suivais toujours les traces qui partaient en arc de cercle, longeant la face sud du Yerupaja. Un sérac d'une bonne quinzaine de mètres de long crevait la surface du glacier. J'avais l'impression d'être un navire et de croiser un iceberg. Hypnotisé par la glace, je dérivais lentement, emporté par quelque courant marin, et le sérac flottait à mes côtés – ce qui expliquait que je n'arrive pas à le dépasser. Des visages m'apparaissaient dans la muraille de glace et je restais à les regarder, fasciné, même si je doutais de leur réalité. Mais dans ma tête des voix se disputaient avec la *voix*, confirmant que je ne rêvais pas. L'un des visages me rappelait une tête de vieillard qui m'était apparue dans un nuage, un jour, sur une plage. Allongé à côté de moi, un de mes amis m'affirmait ne rien discerner du tout; ce qui avait eu le don de m'agacer. Même lorsque je tournais la tête dans l'autre sens, le visage se dessinait encore dans les nuages, ce qui prouvait bien qu'il y était vraiment! Il ressemblait à un personnage de la Renaissance et me faisait penser à ce vieillard à barbe blanche qui, au plafond de la chapelle Sixtine, pointe un index autoritaire, et est censé représenter Dieu.

Pourtant les scènes qui se déroulaient devant moi n'avaient rien de particulièrement religieux. Le soleil jouait à travers la glace, et ce jeu d'ombre et de lumière enfantait des créatures fabuleuses. Des personnages surgissaient très nettement du sérac, bas-reliefs figés dont certains restaient inachevés. Toutes ces étranges figures étaient en train de copuler. Je continuais d'avancer, bouche bée, littéralement fasciné par les créatures obscènes. Ces images m'étaient familières, elles me rappelaient les sculptures d'un temple hindou dont j'avais vu des représentations dans un livre. Les personnages étaient disposés dans le plus grand désordre, certains se tenaient debout alors que d'autres se trouvaient agenouillés ou couchés, de côté ou même à l'envers, et je devais tourner la tête dans tous les sens pour saisir la subtilité de leurs ébats.

Je trouvais la scène cocasse et j'étais aussi émoustillé que lorsque, adolescent, j'avais découvert les grosses femmes nues peintes par Le Titien. Un peu plus tard, je pris conscience que j'étais assis dans la neige; une moufle posée sur les genoux, je m'acharnais à enlever l'autre gant avec les dents. Le sérac avait déjà disparu. Je me souvenais vaguement d'avoir aperçu des personnages dans la glace puis de m'être arrêté pour regarder mes doigts, mais ce qui s'était passé entre-temps n'avait laissé aucune trace dans ma mémoire. J'observais des scènes surgies de nulle part et, sans transition, je m'étais retrouvé seul tandis que le sérac s'était mystérieusement évanoui. Une poignée de cristaux de neige me cingla le visage. Le vent se levait. Je m'aperçus que des cumulus avaient envahi le ciel et que le soleil avait disparu. Une tempête se préparait; d'ailleurs je réalisai soudain qu'il faisait froid. Un vent brutal s'acharnait sur moi. Je remis ma moufle et repris ma lente progression, sur les traces de Simon.

Mes idées étaient moins embrouillées; un sentiment d'urgence me taraudait tandis que la *voix*, omniprésente, me chuchotait: « *Vas-y, avance... plus vite. Tu as perdu beaucoup de temps. Dépêche-toi, les traces vont disparaître.* » Et je forçais l'allure. Des écharpes de brouillard poussées par le vent rôdaient au ras du glacier, m'enveloppant parfois. Il me fallait alors me redresser afin de dominer les tourbillons de neige pulvérulente qui me cachaient les traces. Le glacier semblait en mouvement, agités de remous. Je continuais à ramper, puis me redressais par à-coups, essayant d'apercevoir quelque chose par-dessus ce rideau qui me bouchait la vue. Mais la neige était partout maintenant et je sentais monter la panique. Le vent et la neige effaceraient les traces. La *voix* me répétait que j'allais me perdre, que je ne sortirais jamais de ce dédale de crevasses. Elle me sommait de me dépêcher. Une angoisse terrible me nouait l'estomac à l'idée de perdre cette trace. Tant que je suivrais les pas de Simon, j'aurais l'impression de n'être pas aussi seul, ces empreintes étaient vivantes, rassurantes. Sans elles, je me sentirais abandonné, irrémédiablement. Je poursuivais mon chemin avec acharnement, cherchant à percer les nuages et les giboulées de neige.

À présent la lumière déclinait rapidement et le vent augmentait de violence. Je ne perdais plus de temps à essayer de réchauffer mes mains. J'obéissais à une idée fixe – je suivais les traces, fiévreusement. Mais je ne pouvais me battre contre la nuit. Bientôt je dus m'avouer vaincu. L'exercice m'avait réchauffé et je restais couché sur la glace tandis que le vent me recouvrait lentement de neige. Je me sentais bien, le sommeil me gagnait. Pourquoi bouger? Il ne faisait pas froid, je pouvais bien dormir ici… Pourquoi ne pas passer la nuit comme un chien de traîneau, bien abrité sous une carapace de neige ? Je m'enfonçais peu à peu dans la somnolence, prêt à franchir les portes d'un sommeil profond, si apaisant. Mais le vent ne me laissait pas en paix et la *voix* me tourmentait. Les autres voix s'étaient tues, et je ne pouvais échapper à ses paroles lancinantes. « *Ne t'endors pas, ne t'endors pas. Pas ici. Continue et trouve un endroit où creuser un abri… Mais surtout ne t'endors pas.* »

Complètement désorienté par la tempête et la nuit, j'avais oublié que des crevasses me guettaient, et je rampais à l'aveuglette, inconscient du danger, étourdi par les hurlements du vent. Soudain, un sourd grondement traversa la tourmente et quelques morceaux de glace me frappèrent ; je pensais qu'une avalanche avait dû dévaler les pentes du Yerupaja. Mon esprit enregistra l'incident puis l'oublia aussitôt. Je continuais à avancer machinalement, bercé par le sifflement du vent. À aucun moment il ne me vint à l'idée que je courais un quelconque danger.

Soudain je roulai de côté. Comme je n'y voyais rien, je ne savais pas où j'allais atterrir. La glissade s'arrêta et je me retournai. Une masse confuse s'élevait non loin, je me traînai dans cette direction, à la force des bras, hurlant ma souffrance.

Dans un état d'abrutissement total, je me mis en devoir de creuser un abri, où je m'enfouis immédiatement. Mais je n'étais pas au bout de mes peines, il me fallait encore l'agrandir de l'intérieur, un travail d'autant plus pénible que je ne pouvais éviter de tordre mon genou dans tous les sens.

Dès que je fus bien à l'abri dans la grotte, le brouhaha des voix se fit à nouveau entendre. J'y prêtai vaguement l'oreille tout en somnolant, et des images floues défilaient devant mes yeux. Je sursautais parfois, me remettais à creuser en fredonnant une chanson, avant de retomber dans la torpeur tandis que les voix reprenaient leur obsédante mélopée.

Avec mes doigts morts, je fouillai dans mon sac à la recherche de ma lampe frontale. Je tombai sur mon sac de couchage, la lampe se trouvait au fond. À sa lueur vacillante, je m'aperçus que je ne pouvais pas m'étendre complètement. Mais le courage me manquait pour terminer l'ouvrage. Il me fallait encore enlever mes crampons, une tâche qui s'avérait délicate. Je me penchai en avant mais cette position me causait une douleur insoutenable dans le genou. Je gémissais, je sanglotais d'impatience tandis que mes doigts engourdis s'escrimaient en vain sur les sangles. Je finis par abandonner la partie, pleurant de rage. L'idée d'utiliser mon piolet ne m'effleura que plus tard. Enfin délivré, je m'abandonnai à une insidieuse somnolence.

Il me sembla qu'il s'était écoulé plusieurs heures avant que j'émerge et me décide à finir mes préparatifs. Après avoir réussi à étendre mon karrimat sans briser le toit de la grotte, je dus me battre un long moment avec mon sac de couchage. Ma chaussure s'entêtait à se prendre dans le tissu, déclenchant infailliblement une douleur fulgurante. Je finis par soulever ma jambe pour l'enfiler dans le sac; elle me parut incroyablement lourde, inerte et enflée. Elle m'importunait, elle n'arrêtait pas de se mettre en travers de mon chemin, comme un enfant mal élevé qui se refuse obstinément à obéir. Il y avait de quoi s'énerver!

La tempête continuait à faire rage, mais plus aucun son ne parvenait au fond de mon abri. Au début je sentais le vent secouer le bout de mon sac de couchage qui dépassait à l'extérieur, puis la neige le recouvrit et boucha l'entrée de la grotte. Sur le cadran lumineux de ma montre, je pus lire qu'il était dix heures et demie. Il était temps que je dorme. Pourtant, malgré ce calme rassurant, le sommeil m'avait quitté. Je revivais avec une incroyable acuité les angoisses de la crevasse et des élancements parcouraient sans répit mon genou. La peur d'attraper des gelures aux pieds me tourmentait, ce qui me rappela le mauvais état de mes mains. Si je m'endormais, je ne me réveillerais peut-être jamais – je m'efforçais de garder les yeux ouverts, scrutant les ténèbres. J'avais beau essayer de me résonner, de me dire que toutes mes frayeurs n'étaient que le fruit de l'inaction et de l'obscurité, rien n'y faisait, je n'arrivais pas à leur échapper.

Exténué, je finis pourtant par sombrer dans un sommeil presque cataleptique, noir et insondable, dont seules la douleur et les peurs enfantines me tiraient vaguement de temps à autre. Une longue nuit silencieuse pesait sur moi tandis qu'au-dehors la tempête se déchaînait.

Je me réveillai tard. À l'intérieur de la tente, la chaleur était étouffante, pourtant je restais étendu, les yeux fixés sur la toile en forme de dôme. Hier, à la même heure, je me traînais à travers le dédale des crevasses. Incroyable ! Joe est mort depuis trente-six heures... J'avais l'impression de l'avoir quitté des semaines auparavant et pourtant nous n'étions partis à l'assaut de la montagne qu'à peine une semaine plus tôt.

Tout au fond de moi, une sourde douleur que rien ne parvenait à chasser me grignotait ; seul le temps pourrait me guérir. Joe avait déjà pris place dans mes souvenirs, une ombre dont le visage s'effaçait graduellement. Il avait disparu à jamais, il s'agissait d'un fait inéluctable, auquel je ne pouvais rien changer. Je tirai sur le cordon qui fermait mon sac de couchage, m'en arrachai et sortis au soleil. J'avais faim.

Sous le gros rocher, dans le coin cuisine, Richard amorçait le réchaud. Lorsqu'il m'aperçut, il m'adressa un grand sourire. Il faisait un temps splendide, une journée idéale pour le moral et pour l'action. Je me dirigeai vers la rivière et urinai contre un rocher. Juste en face de moi s'élevait le Sarapo, superbe et majestueux, mais aujourd'hui ce spectacle me laissait indifférent. Je me sentais lassé de cet endroit, de ces panoramas sublimes... Cela ne présentait aucun intérêt. Un paysage désert, stérile, dont je détestais la froide cruauté. Ne m'avait-il pas poussé à le tuer ?

Je revins auprès de Richard et m'accroupis à ses côtés d'un air sombre. Sans un mot, il me tendit une tasse de thé et un bol de porridge. J'avalai le tout rapidement, sans me laisser le temps de le savourer. Puis je retournai à la tente, ramassai mes affaires de toilette et me dirigeai vers une vasque naturelle creusée par le torrent. Je me déshabillai, tâtai l'eau avec les orteils avant de m'immerger, le souffle coupé par l'eau glaciale. Le soleil me sécha et me réchauffa pendant que je me rasais. Je passai un long moment auprès de ce bassin, à laver des vêtements, à tripoter mon visage brûlé par le soleil. Je sortis purifié de ces paisibles ablutions. J'avais surmonté mon désarroi et j'analysais les événements des derniers jours d'un œil plus serein. L'esprit en paix, je revins au camp. J'ai fait tout mon possible. Il est mort et je suis vivant, mais je n'ai aucune raison de me torturer ainsi. Avant d'affronter les autres, et leurs inévitables critiques, il fallait que je décante la situation. Et avant tout, il fallait que j'assume mon geste. Jamais personne ne pourrait se mettre à ma place, comprendre les circonstances exactes du drame. Je n'étais même pas sûr de pouvoir transmettre à mes plus proches amis l'angoisse de ces heures terribles. Mais cela n'avait guère d'importance si je ne me sentais plus déchiré intérieurement. Le processus de guérison était déjà en marche, et je n'en demandais pas plus pour le moment.

Richard n'était pas dans les parages quand je retournai auprès des tentes. Je cherchai la trousse à pharmacie, et finis par la dénicher cachée sous les vêtements de Joe, au fond de la tente. Je la lançai dehors et me mis à trier ses affaires. Un quart d'heure plus tard, un tas de vêtements et d'objets hétéroclites s'élevait à côté de la trousse. Assis au soleil, je l'ouvris et commençai à me droguer consciencieusement. J'avalai d'abord des comprimés de Ronicol, un médicament pour la circulation sanguine, dans l'espoir que les gelures ne s'étendraient pas. Suivit tout un arsenal d'antibiotiques pour prévenir l'infection. Après cette séance de médication, je recommençai la tournée d'inspection, de palpation et de nettoyage de ma petite personne. Cet examen approfondi tenait surtout du rituel; en tout cas il agit comme un stimulant, d'autant plus que le résultat de mon examen tendait à prouver que je remontais la pente. Puisque je pouvais m'offrir le luxe de ces soins approfondis, j'en profitai pour passer une revue de détail – pieds, doigts, visage, cheveux, poitrine, jambes, tous reçurent un traitement approprié.

Quand j'eus fini, je me tournai vers les affaires de Joe et continuai le tri. J'entassais les vêtements d'un côté et étalais le reste. J'agissais calmement, sans émotion. Je tombai sur une pellicule soigneusement enfermée dans un sac de plastique, avec un objectif. Le sac convenait parfaitement, je pourrais y mettre les quelques objets que je voulais rapporter à ses parents.

Je trouvai ensuite son journal, où il avait consigné ses impressions au jour le jour. Il l'avait commencé dans l'avion, alors que nous venions de décoller de Londres. Il aimait écrire. Je le feuilletai distraitement, sans le lire. Je ne voulais pas connaître ses pensées. Je le fourrai dans le sac. L'équipement qu'il avait laissé au camp ne présentait qu'un intérêt limité ; je le mettrais avec mes affaires. Je jetai un rapide coup d'œil aux vêtements et trouvai son chapeau, un vieux chapeau en laine, blanc et noir, auquel manquait le pompon. Miri Smidt l'avait rapporté de Tchécoslovaquie et le lui avait offert à Chamonix. Joe y tenait beaucoup et je ne me sentais pas capable de le brûler.

Lorsque Richard se montra, j'avais tout juste rempli le petit sac à l'intention de ses parents. Richard alla chercher de l'essence et aspergea le tas de vêtements. Le feu n'arrivait pas à consumer les épais pantalons et il nous fallut remettre de l'essence. Richard avait suggéré que nous donnions ces vêtements aux jeunes filles qui vivaient dans les cabanes de la vallée. Mais je ne m'attardai pas à considérer cette initiative et je continuai jusqu'au bout la tâche que j'avais entreprise.

Quand le tas fut parti en fumée, je suivis Richard jusqu'au gros rocher. Il prépara un bon repas et une grosse bouilloire de thé. Le reste de la journée se passa tranquillement, à jouer aux cartes, à écouter de la musique. Le walkman de Richard ne marchant plus, il prit tout naturellement celui de Joe. Chacun de nous évoquait sa vie, son avenir. Le douloureux sentiment de vide au creux de l'estomac ne m'avait pas quitté, ni la culpabilité. Elle ne s'effacerait jamais – j'apprenais doucement à vivre avec elle.

Un monde cruel

Je me réveillai en hurlant. Il faisait jour, et très froid. Au fur et à mesure que se dissipait mon cauchemar, je reprenais conscience de l'endroit où je me trouvais ; je n'étais plus au fond de la crevasse. Apaisé, je laissai mon regard errer sur la voûte de la grotte. Il régnait un silence profond et je me demandais si dehors la tempête faisait toujours rage. Je n'avais pas le courage de bouger, je savais que le moindre mouvement réveillerait la douleur après cette longue nuit glaciale. Je contractai doucement les muscles de ma jambe et reçus en retour un terrible coup de couteau dans le genou. Je haletai de souffrance, regardant d'un œil distrait les bouffées de buée qui sortaient de ma bouche.

Mon rêve avait été d'une telle acuité que j'en émergeais avec peine. Je m'étais vu sur le pont de neige, recroquevillé contre la paroi glacée, et je sentais encore les sanglots qui m'avaient secoué. Assez curieusement, aucun son ne me parvenait. En revanche, une voix – que je reconnus pour être la mienne – récitait une tirade de Shakespeare, répétant à satiété les mêmes vers :

« Oui, mais mourir et aller nous ne savons où !
Être gisant dans de froides cloisons et pourrir ;
Ce corps sensible, plein de chaleur et de mouvement,
Devenant une argile malléable... »

J'étais maintenant complètement réveillé, sorti de mon rêve, pourtant les mots continuaient à résonner dans ma tête. Je me souvenais très précisément à quelle occasion j'avais appris ce monologue. Il était au programme d'un examen que j'avais passé dix ans plus tôt, et je me rappelais les avoir ressassés, encore et encore, à la façon d'un perroquet. Je n'en revenais pas ! Je n'avais jamais relu ces vers depuis cette époque et voilà qu'ils surgissaient soudain du fond de ma mémoire :

« ... tandis que l'esprit, privé de lumière,
Est plongé dans des flots brûlants,
Ou retenu dans les frissonnantes régions
Des impénétrables glaces, ou emprisonné
Dans les vents invisibles et lancé avec une
implacable violence
Autour de l'univers en suspens... »

Ravi, je murmurai ces mots, pour le seul bénéfice des parois de neige qui me renvoyaient un étrange chuchotement. Étouffant un rire, je repris le passage. J'en oubliais que ces vers avaient sonné bien lugubrement dans mon rêve et, prenant de l'assurance, je me mis à déclamer avec emphase. Étendu dans mon sac de couchage, d'où n'émergeait que le bout de mon nez, je me prenais pour Laurence Olivier :

« ... plus misérable encore que le plus misérable des
Damnés qui conçoivent dans des hurlements
Des pensées illégitimes et informes !... Ah ! C'est
trop horrible !
La vie terrestre la plus pénible et la plus répulsive
Que l'âge, la maladie, le dénuement et la prison
Puissent infliger à la créature, est un paradis,
Comparée à ce que nous craignons de la mort. »

Bientôt je me lassai de ce jeu et me tus. Un silence écrasant s'appesantit sur moi. Ma belle humeur disparue, je me sentais accablé par la solitude. Soudain ces mots prenaient leur véritable dimension et mon cauchemar revint me hanter ; des larmes me montèrent aux yeux.

La tempête avait recouvert mes pieds d'une épaisse couche de neige. Je fis un mouvement intempestif pour me libérer, déclenchant une vive douleur dans mon genou. Il me fallait encore sortir de mon sac de couchage humide et je me débattais comme un beau diable. La grotte était si exiguë que je heurtai le toit avec la tête. Il s'effondra et le soleil inonda brutalement mon abri, délogeant les ombres tapies dans les recoins. Avec mon piolet j'agrandis l'ouverture. Une belle et chaude journée m'attendait. Assis au milieu des décombres de la grotte, je me laissais envahir par la chaleur et mes peurs nocturnes s'évaporaient au soleil. Juste sous mes pieds une pente dévalait jusqu'à une crevasse remplie de neige. D'ici je ne voyais pas les moraines, mais je savais qu'elles s'étendaient en avant de moi. Le glacier resplendissait de blancheur, immaculé, il s'étendait à perte de vue, recouvert d'un épais tapis de neige fraîche. Les traces avaient complètement disparu.

Je rangeai mes affaires et roulai mon karrimat. Soudain, je réalisai que je mourais littéralement de soif. Plus encore que la veille, un intolérable besoin de boire me tourmentait. Où allais-je pouvoir trouver de l'eau ? Il y avait bien l'allée des Bombes, mais elle se trouvait à des kilomètres d'ici, et je n'étais pas sûr d'y arriver aujourd'hui. Cette réflexion me frappa ; on aurait dit qu'un programme s'était établi à mon insu. Jamais je n'avais calculé – tout au moins consciemment – le temps qu'il me faudrait pour rejoindre le camp. Pourtant l'idée que je n'atteindrais pas l'allée des Bombes dans la journée s'était imposée d'elle-même. Le fonctionnement de mon esprit m'échappait peu à peu. Les événements de la veille, par exemple, ne me revenaient que par bribes, de façon désordonnée ; je me souvenais du fragile tapis de neige dans la crevasse, du rayon de soleil, d'une avalanche à travers la tempête, de ma chute la nuit dernière, des visions obscènes dans le mur de glace, mais en général le déroulement de la journée restait obscur. Peut-être était-ce dû au manque de nourriture et de boisson ? Je n'avais pas mangé depuis... trois jours ? Non, deux jours et trois nuits ! Mon Dieu ! Il y avait de quoi s'inquiéter, surtout à cette altitude où l'on doit absorber au moins un litre et demi de liquide par jour pour combattre les effets d'une intense déshydratation. Mon organisme devait être complètement à sec... Le problème de la nourriture ne m'inquiétait pas outre mesure. D'abord parce que je n'avais pas faim, ensuite parce que je sentais que, même si j'avais brûlé une grosse quantité de calories, j'avais encore des réserves. En revanche ma langue, dure et gonflée, collait à mon palais. Alors que toute cette neige, autour, représentait un tel potentiel en eau !

Il y avait de quoi devenir fou. Pour me désaltérer, je pouvais toujours faire fondre quelques poignées de neige dans ma bouche, mais après ? Jamais cela ne suffirait à étancher la soif intense qui me dévorait. Le glacier s'étendait à perte de vue et tous mes espoirs me paraissaient bien puérils. Jamais je n'y parviendrais.

Mon Dieu ! Est-ce ainsi que les choses vont se passer ? Je vais ramper désespérément, obnubilé par cette envie de boire, jusqu'à ce que je m'effondre, définitivement ?...

Je me laissai glisser au bas de la pente et m'éloignai de la grotte. Je devais au moins essayer d'atteindre les moraines avant le début de l'après-midi. Ensuite, il serait toujours temps d'aviser. De toute façon, rester planté ici à me tourmenter ne m'avancerait à rien. J'avais autant de chances de réussir que d'échouer. En tout cas, je préférais continuer à agir, à avancer. Je ne pouvais supporter l'idée de rester seul ici à attendre la mort.

Je devais être maintenant d'autant plus prudent que je n'avais plus de traces pour me guider. Il devenait indispensable de me fixer des repères. Sur ma gauche le glacier était très ouvert, aussi décidai-je de suivre la rive droite qui s'arrondissait sous le Yerupaja. Je me redressais de temps à autre afin d'avoir une perspective plus large. De cette façon je pouvais repérer certaines crevasses caractéristiques que nous avions rencontrées à l'aller. Pourtant la peur restait lovée au fond de moi. N'allais-je pas tomber sur une crevasse dissimulée sous la neige fraîche ?... Je savais combien ma position me rendait vulnérable.

Au bout d'une heure, j'avais fini par me convaincre que je devrais essayer de marcher. Après tout, ma jambe ne me faisait plus tellement souffrir, j'étais près de penser qu'il ne s'agissait peut-être que d'une grosse entorse. Après cette bonne nuit de repos, la situation s'était certainement améliorée et ma jambe pouvait sans doute supporter mon poids. Je me mis debout en vacillant, solidement planté sur ma jambe gauche, le pied droit effleurant la neige. Je mis une légère pression de ce côté. La douleur était tout à fait supportable. Il n'allait pas s'agir d'une partie de plaisir mais je savais que je serais capable d'endurer la souffrance – à supposer que je puisse marcher. Prenant mon courage à deux mains, je m'appuyai de tout mon poids sur la jambe droite. Elle se déroba sous moi dans un affreux craquement d'os.

Je me retrouvai le nez dans la neige. Je m'étais peut-être évanoui, en tout cas j'avais envie de vomir et je haletais de douleur. Mon genou me faisait atrocement souffrir, je sanglotais d'impuissance, me traitant de tous les noms. Quel imbécile ! J'avais maintenant aussi mal qu'après l'accident. Peu à peu, la fraîcheur de la neige sur mon visage dissipa ma faiblesse. Je m'assis péniblement et avalai quelques poignées de neige. Je me souvins qu'un peu plus tôt j'avais aperçu toute une série de crevasses qui se dressaient à une centaine de mètres, défendant l'accès aux moraines. J'allais devoir ramper à travers ce labyrinthe à l'aveuglette et je ne pourrais en aucun cas vérifier si j'étais dans le bon chemin. Mais où donc passait l'itinéraire que nous avions suivi à l'aller ? Nous avions divagué entre des crevasses parallèles, en traversant certaines sur des ponts étroits, escaladant des bourrelets neigeux pour en éviter d'autres. Comment allais-je pouvoir seulement descendre les pentes que nous avions gravies ?

Appuyé sur mon sac, je fixais le ciel. Instinctivement, j'appréhendais cette traversée. Pourtant ma raison me disait que je n'avais pas d'autre choix. Perdu dans mes rêveries, je ramassais machinalement des poignées de neige que je me fourrais dans la bouche, repoussant le moment de prendre une décision. Mes yeux erraient dans cette immensité d'un bleu profond, dénuée de vie, où ne passaient ni nuages, ni oiseaux, et seule surnageait dans mon esprit la conscience aiguë de l'endroit où je me trouvais.

Je me réveillai en sursaut – « *Avance... Ne reste pas ici, arrête de rêvasser, vas-y !* » La *voix* avait soudain surgi d'un fatras de souvenirs et de visages oubliés, de paroles et de chansons absurdes qui s'embrouillaient dans ma tête. Je me remis en route précipitamment, forçant l'allure pour échapper à la culpabilité, oubliant la menace omniprésente des sombres crevasses.

Après m'être arrêté de nombreuses fois pour examiner l'itinéraire, je me retrouvai en plein dans la zone crevassée. À la moindre déclivité suspecte, je virais de bord sans demander mon reste. Au bout d'un moment je me retournai ; ma trace se tortillait en zigzags capricieux, en circonvolutions désordonnées. Comme lorsque l'on pénètre dans les méandres d'un labyrinthe, j'avais eu l'impression, au début, de savoir très précisément où je me dirigeais. Je réalisais maintenant que j'étais complètement perdu. Le glacier offrait un visage de plus en plus torturé, d'innombrables fissures s'ouvraient de tous côtés. Je finis par me mettre debout en vacillant. Devant moi s'étendait un inextricable dédale de fentes, de trous dissimulés par la neige. Si j'avais cru pouvoir me repérer grâce aux vagues souvenirs que j'en avais gardés, ce fouillis n'évoquait strictement plus rien dans ma mémoire. Je pensais reconnaître une crevasse, mais arrivé à côté, je m'apercevais que j'avais dû me tromper. Elles changeaient de forme selon les perspectives et tout se brouillait dans ma tête. À l'idée que je pourrais tomber dans l'un de ces gouffres, la panique me saisit ; il devenait impératif que je retrouve le bon chemin. Mais plus j'essayais de me repérer, plus je me sentais perdu. Je sentais la folie me gagner. Par où ? Par là... Et je rampais de toutes mes forces, pour me retrouver nez à nez avec une ouverture menaçante.

Le temps semblait s'écouler au ralenti tandis que j'allais et venais, croisant et recroisant mes traces, négligeant de prendre des repères, pour me retrouver soudain face à quelque gouffre vaguement familier. Je résistais à la tentation de sauter par-dessus les petites crevasses, comme j'aurais pu le faire en temps normal. Je restais conscient que je ne devais pas courir ce risque avec une seule jambe valide. Si je glissais je n'arriverais jamais à me retenir.

Épuisé, à bout de nerfs, je finis par m'écrouler entre deux crevasses sur une étroite plate-forme qui allait en s'amenuisant. Une vague réminiscence flottait dans mon cerveau embrumé. Ce pont de neige m'était familier. Au cours de toutes mes allées et venues dans les parages, je m'en étais approché à plusieurs reprises ; effrayé par les précipices qui le bordaient, je n'avais pas osé m'y aventurer. Cette fois encore, ma première réaction fut de faire demi-tour. Pourtant quelque chose me retenait. Je m'assis, scrutant les alentours, cherchant dans mes souvenirs, fouillant du regard le chaos glacé en quête d'un quelconque repère. Le pont de neige s'incurvait légèrement sur la gauche avant de disparaître brusquement. Il fallait à tout prix que je sache. M'appuyant sur mon piolet, je me redressai lentement en me balançant dangereusement sur une jambe. Au-delà du pont, j'aperçus la silhouette sombre d'un gros bloc sur une petite pente de neige. Ce bloc signalait le début des moraines. Avec une prudence accrue, je repris ma reptation jusqu'à l'endroit où le pont se rétrécissait. Soulagé, je vis qu'il venait mourir dans la moraine. J'avais atteint la limite des crevasses.

Assis contre un grand rocher de couleur ocre, je regardais mes traces qui serpentaient à travers le glacier. On aurait dit qu'un oiseau géant avait sautillé de-ci delà, picorant la neige de façon désordonnée. Je voyais maintenant très clairement la route que j'aurais dû suivre, et je ne pus que sourire à la vue de ce parcours sinueux qui zigzaguait follement entre les crevasses.

Cette bouffée de bonne humeur me libérait de l'angoisse accumulée au cours des dernières heures. J'en tremblais encore, tout à fait conscient de la chance que j'avais eue en parvenant sain et sauf jusqu'aux moraines. La surface miroitante du glacier se mit à onduler doucement, les vagues glacées semblaient se mouvoir comme la houle sur l'océan. Je me frottai les yeux, mais ma vision resta brouillée. Les moraines elles-mêmes m'apparaissaient à travers une légère brume, et j'avais beau me frotter les paupières, le paysage devenait de plus en plus flou. Un picotement désagréable me fit venir des larmes. L'ophtalmie des neiges !

– Oh ! merde ! Il ne manquait plus que ça !

J'avais cassé mes lunettes de soleil sur l'arête au moment de l'accident, et au cours des deux derniers jours je n'avais pas enlevé mes lentilles de contact.

Je plissai les yeux, mais même en ne regardant qu'à travers deux fentes minces, la blancheur éblouissante du glacier m'aveuglait et me brûlait de façon intolérable. De grosses larmes roulèrent sur mes joues. Je détournai les yeux vers les moraines. La lumière y était moins intense. J'y verrais suffisamment pour me diriger ; il me suffirait de cligner des yeux. Je me traînai de l'autre côté du rocher, à cloche-pied. Cette expérience ne fit que confirmer mes pires craintes : la traversée du glacier n'avait été qu'une entrée en matière.

Nonchalamment adossé au rocher, je me laissai envahir par le bien-être et la chaleur. J'avais décidé de m'accorder un bon repos avant d'affronter les moraines. Immédiatement, je sombrai dans le sommeil. Au bout d'une demi-heure, la *voix* s'infiltra dans mes rêves comme le lointain murmure d'une cascade, insistante, répétant un message auquel jamais encore je n'avais su résister : « *Allez, réveille-toi ! Tu n'as pas fini... Encore un long chemin... Ne dors pas... Ne te laisse pas aller.* »

Je me redressai et regardai d'un air égaré ce sombre fleuve rocheux qui s'étirait en avant de moi. Je ne savais plus très bien où je me trouvais. Cette débauche de rochers et de pierres m'affolait, après tant de jours passés dans un univers de blancheur. La dernière fois, c'était sur cette bande rocheuse, sous le sommet. Combien de temps s'était écoulé depuis ? Je m'embrouillais dans mes comptes... Quatre jours ! Un chiffre qui ne signifiait plus grand-chose pour moi. Quatre jours, six jours... quelle différence ? Ici le temps coulait sans rien modifier. Je me trouvais dans ces montagnes depuis si longtemps... Je pourrais rester là pour toujours, dans cet état de torpeur, émergeant parfois de mes rêves pour grappiller quelques bribes de réalité avant de m'engluer à nouveau dans le monde séduisant de mes fantasmes. Des rochers ? Mais oui, bien sûr, les moraines ! Je me laissai aller contre le rocher, les yeux clos, mais la *voix* ne me laissait pas de répit. Elle m'accablait sous une avalanche d'ordres, d'indications sur ce que je devais faire, mais je restais allongé, défiant mon instinct qui me poussait à obéir. Je voulais d'abord dormir un peu. La *voix* se fit cependant si impérieuse que je dus battre en retraite et lui obéir.

Une mélodie courait dans ma tête, un air dont je n'avais jamais réussi qu'à retenir le refrain ; pourtant, aujourd'hui, les paroles venaient d'elles-mêmes à mes lèvres. Ma mémoire fonctionnait à merveille, c'était bon signe. Et je continuais à marmonner cette chanson, tout en étendant sur le rocher mon duvet trempé. Je vidai le contenu de mon sac sur la neige et l'examinai attentivement. D'un côté je posai le réchaud et la petite casserole. Je n'avais plus de gaz, le réchaud ne me serait donc d'aucune utilité. Je le fourrai dans le petit sac rouge où je rangeais d'habitude mon sac de couchage. J'ôtai mon casque et mes crampons qui prirent le même chemin, suivis du marteau-piolet et de mon baudrier. Je restai avec une lampe frontale, un appareil photo, un sac de couchage, un piolet, et la petite casserole. Je ramassai l'appareil photo, prêt à le glisser dans le sac rouge. Je pouvais bien le laisser ici, j'avais retiré la pellicule après avoir photographié Simon au sommet. Mais je me ravisai ; je m'étais donné un mal fou pour dénicher, d'occasion, un appareil de cette qualité. Je le remis dans mon sac à dos. J'ajoutai le duvet, la frontale, et bouclai les courroies.

Coincée entre deux cailloux, au sommet du rocher, la petite casserole brillait au soleil. Je plaçai le sac rouge à l'abri, au pied du gros bloc, et me rassis, satisfait.

Je n'avais pas fini mes préparatifs que déjà une autre chanson m'obsédait. Je l'avais toujours eue en horreur, pourtant je n'arrivais pas à la chasser de mon esprit. D'un geste nerveux, je ramassai mon karrimat, essayant de penser à autre chose, mais les paroles s'étaient incrustées dans ma tête. « ... *Cette fille brune... Tra la la la la...* » De nouveau, je me trouvais scindé en deux. Une partie de moi accomplissait mécaniquement des tâches, comme conditionnée par des ordres précis, tandis que le reste de mon esprit, échappant à tout contrôle, continuait à divaguer, à dévider ces chansons stupides.

J'étalai mon karrimat à côté de moi. Ce matelas de mousse jaune était bien trop long pour l'usage auquel je le destinais. J'essayai de le déchirer mais il me résista et je dus me servir de mon piolet pour l'entamer, ce qui produisit une vilaine découpure en dents de scie. En revanche, je pouvais maintenant l'enrouler autour de mon genou, sur deux épaisseurs, en serrant aussi fort que possible. Puis je ficelai le tout avec mes lanières de crampons. Je dus me battre un bon moment avec les boucles à cause de mes doigts gelés, mais le résultat se révéla satisfaisant. Mon genou, fermement maintenu par les attaches au niveau de la cuisse et du mollet, se trouvait pratiquement immobilisé. Il ne restait plus qu'à trouver une astuce pour empêcher cette attelle improvisée de s'ouvrir au centre. Deux lanières de mon sac à dos firent l'affaire. Quand j'eus terminé, je m'octroyai une pause; l'opération avait été douloureuse, surtout lorsque j'avais dû serrer les attaches. Mais dès que les élancements se furent un peu calmés, je réalisai que la pression exerçait plutôt une action bénéfique, puisque je ne ressentais qu'une douleur sourde, tout à fait supportable.

En me levant je fus pris d'étourdissements, je dus me cramponner au rocher pour ne pas tomber. Puis je ramassai mon sac et mon piolet. Un vaste chaos morainique s'étendait devant moi, semblable à une large rivière pétrifiée. Plus loin les blocs cédaient la place à des éboulis et de la caillasse. À aucun moment je ne pourrais ramper, et comme il était hors de question de marcher, j'allais devoir avancer à cloche-pied sur ma jambe valide.

À la première tentative je m'étalai de tout mon long et me cognai le front sur un rocher. Mon genou se tordit violemment et je hurlai de douleur. Le temps de reprendre mes esprits, et je recommençai. Je tenais mon piolet de la main droite, mais il faisait à peine soixante centimètres de haut et j'étais obligé de me courber dessus comme un vieillard perclus de rhumatismes. M'y appuyant de tout mon poids, je soulevai ma jambe blessée d'une main, de façon à la placer parallèlement à l'autre. Puis, crispé sur mon piolet, je me propulsai en avant, si brutalement que je faillis perdre l'équilibre. Tout cela pour n'avancer que d'une quinzaine de centimètres. Je réitérai l'expérience, et m'écroulai à nouveau. La douleur mit plus longtemps à se dissiper, j'avais l'impression que l'on me brûlait le genou avec un fer rouge.

Après avoir ainsi parcouru plusieurs mètres, j'avais mis au point une technique dont l'efficacité restait à prouver. J'avais pourtant trouvé qu'il valait mieux ne pas placer ma jambe blessée en avant, et appris à mesurer mon élan avant de sauter. D'ailleurs, il s'agissait plus d'un léger sautillement que d'un véritable saut. La sueur ruisselait sur mon front. Au début j'étais tombé à chaque pas, mais je venais d'en réussir deux d'un coup ! Comme là-haut sur l'arête, ou sur la pente, dans la crevasse, je devais adopter le système d'une séquence de mouvements très précis, c'est-à-dire décomposer chaque pas et m'appliquer à répéter consciencieusement chaque geste. Poser solidement le piolet, lever le pied, m'appuyer, sauter, poser, lever, m'appuyer, sauter, et ainsi de suite.

J'avais attaqué la descente des moraines à une heure et demie de l'après-midi. Il me restait cinq heures et demie de jour avant la nuit. Poser, lever, m'appuyer, sauter. J'ai envie de boire. Je n'atteindrai pas l'allée des Bombes... Poser, lever... Un enchaînement sans faille, une répétition automatique. Et mon esprit recommençait à s'évader. Seules les chutes me rappelaient à l'ordre. La plupart du temps, j'étais victime d'une pierre instable sur laquelle mon piolet avait ripé. Déséquilibré, je m'affalais dans les éboulis, entre les rochers, sans pouvoir seulement me protéger le genou. Je n'arrivais pas à contrôler les muscles de cette jambe, et à chaque fois elle encaissait le choc ou venait frapper le sol de plein fouet. Une douleur effroyable me broyait le genou ; en revanche, il me semblait qu'elle diminuait plus rapidement à chaque chute. Mes cris n'éveillaient aucun écho dans ces espaces inhabités. Pourquoi crier, alors, si mes plaintes n'émouvaient personne ? Je me bornais à gémir par moments, comme un enfant malade, autant d'impuissance que de souffrance. La plupart du temps je me taisais, secoué de spasmes, le cœur au bord des lèvres. Je n'arrivais même pas à vomir, mon estomac était trop vide. Deux heures plus tard, je me retournai vers le glacier. On n'apercevait plus qu'un mur de glace sale, à bonne distance. Je rayonnais ; j'avais devant moi la preuve tangible que je progressais.

La *voix* ne me laissait pas en repos. « *Pose, lève, appuie, saute... Continue comme ça. Regarde la distance que tu as déjà parcourue. Avance sans penser à rien...* »

Et j'obéissais. Je me traînais à travers un océan de rochers, tombant, criant, me relevant, et mes jurons composaient une litanie monocorde, en parfaite harmonie avec la répétition monotone de mes gestes. Le présent s'effaçait, j'oubliais que je n'y arriverais sans doute jamais. Un instinct dont je ne soupçonnais pas l'existence avait pris possession de tous mes actes, je dérivais au gré des moraines dans un état proche de l'hypnose, délirant, assoiffé, endolori. Il me restait juste assez de lucidité pour respecter les horaires que je me fixais. Je me donnais une demi-heure pour atteindre un point donné. À mesure que je m'en approchais, je livrais une véritable course contre la montre, une sorte de rite qui s'intégra bientôt à la séquence... Poser, lever, m'appuyer, sauter, chronométrer. Quand j'avais pris du retard, je forçai l'allure – ce qui avait pour résultat de me faire tomber tant et plus. Mais le fait d'arriver en temps voulu primait tout. À cette course je ne perdis qu'une seule fois, et j'en pleurai de dépit. Ma montre m'était devenue aussi précieuse que ma jambe valide. Après chaque chute, je restais prostré, m'abandonnant à la douleur, et le temps s'enfuyait rapidement. Vérifier l'heure revêtait d'autant plus d'importance que souvent je pensais ne m'être arrêté que quelques secondes alors qu'en réalité de précieuses minutes s'étaient écoulées. Un regard sur le cadran me remettait vite sur pied.

Au milieu de ces énormes blocs je me sentais infiniment petit. Comme le glacier, les moraines étaient privées de vie, désertes. On n'y rencontrait même pas un insecte, ni un seul oiseau. Elles composaient un univers monotone de rochers et de boue, de pierres et d'éboulis, un monde de grisaille sur lequel régnait le silence des espaces inhabités. Mon imagination s'évadait, sautant d'un fantasme à l'autre, des chansons me trottaient dans la tête, des formes apparaissaient dans les rochers. Tourmenté par un irrésistible besoin de boire, je ramassais des poignées de neige sale et m'en remplissais la bouche. La douleur et la soif délimitaient mon horizon.

J'entendais souvent de l'eau gargouiller sous les rochers, surtout lorsque je me retrouvais par terre. Allongé sur le sol, je tendais l'oreille, me déplaçant de quelques centimètres, et le léger gazouillis semblait s'intensifier. Je souriais d'un air avide. « Ce doit être un vrai ruisselet ! » J'avais répété ces mots à chaque fois, mais seules d'imperceptibles rigoles s'enfonçaient dans la boue. Je m'approchai d'un rocher désagrégé. Là ! Ah, ah ! Je l'avais bien dit ! Un fin filet argenté courait sur ma droite, pas plus gros qu'un lacet de chaussure, mais déjà plus visible que les autres. J'avançai à plat ventre, louchant sur cette manne. Il ne fallait surtout pas que je rate mon coup.

« *N'y touche pas, il va disparaître.* »

J'enfonçai mon doigt dans le gravier boueux ; une mare minuscule se forma.

– Ah ! je t'ai eu !

J'agrandis le trou. Il eut bientôt la taille d'une petite soucoupe et se remplit rapidement. Le nez à la surface, j'aspirai goulûment. J'obtins une demi-gorgée d'eau sablonneuse que je savourai voluptueusement. Je la fis longuement tourner dans ma bouche, elle me profiterait davantage de cette façon... En même temps, je pensai : « Quelle idée grotesque ! » De nouveau le minuscule bassin se remplit. Je me jetai sur ces quelques gouttes d'eau, aspirant surtout de la boue et des cailloux. Je m'étranglai et me mis à tousser, recrachant le précieux liquide si violemment que je détruisis la mare.

Doucement, je la reconstruisis, mais elle resta sèche. Je creusai plus profond ; toujours rien. Le sol avait englouti mon filet d'eau. Je ne cherchai pas à le retrouver. Il avait disparu, je devrais attendre la prochaine fois. La *voix* reprit le dessus, je me levai péniblement.

La journée avançait et le ciel restait dégagé. Il n'y aurait pas d'orage ce soir. Dans le ciel clair des myriades d'étoiles brilleraient, il ferait froid. En cherchant des yeux un repère, je vis que les moraines s'inclinaient brusquement, une vingtaine de mètres en avant de moi. Immédiatement je reconnus l'endroit. La glace sous-jacente formait une petite falaise. C'était là que nous avions laissé Richard à l'aller. Nous avions gravi cette forte déclivité en suivant un chemin tortueux pour éviter les blocs instables qui la couronnaient. Une grande excitation me saisit à l'idée que j'avais déjà atteint ce point. Devant moi se dressait le dernier véritable obstacle. Une fois en bas de cette pente, je n'aurais plus qu'à ramper. Je ne risquais plus de rencontrer ni crevasses, ni falaises menaçantes. Je me traînai en boitillant jusqu'au bord de la pente.

Je restai assis un long moment, envisageant diverses solutions. Est-ce que je devais m'asseoir et descendre sur les fesses, ou glisser à plat ventre, en ramasse, en me retenant avec mon piolet ? Je regrettais de ne pas avoir gardé mes crampons. Finalement, je choisis la position assise. Elle m'offrait l'avantage de voir où j'allais.

Vers le milieu de la descente, je me mis à fanfaronner. Tout se passait bien, quel besoin avais-je de me faire tellement de souci ? La réponse ne se fit pas attendre. Le rocher auquel je m'agrippais se déroba sous mes mains ; déséquilibré, je partis de côté et entamai une superbe glissade. Je griffai désespérément la glace et la boue, essayant de me cramponner à un rocher qui dépassait, mais roulai par-dessus. J'écrasai mon menton dans la pente dans l'espoir de me ralentir, et ma tête rebondit contre la surface rugueuse. Je m'arrêtai brutalement, la jambe gauche encastrée dans des rochers. Je tremblais de tout mon corps.

Je me retournai plusieurs fois tout en continuant mon chemin. La grande pente s'amenuisait déjà. J'avais l'impression de fermer une porte derrière laquelle rôdait toujours cette obscure menace qui avait pesé sur moi pendant si longtemps. En franchissant la muraille de glace, j'étais sorti du terrible univers de la montagne. Je souris d'un air de défi. J'avais gagné une bataille, en quelque sorte ; j'en avais l'intime conviction. Je ne devrais plus me battre qu'avec la soif et la douleur, continuer à avancer en répétant inlassablement les mêmes gestes. Est-ce que j'allais pouvoir atteindre l'allée des Bombes ce soir ? Là, il y aurait de quoi être fier ! Après tout, elle ne se trouvait guère qu'à une vingtaine de minutes de marche d'ici, en temps normal ; cela ne devait pas me demander trop d'efforts !

C'était commettre une grosse erreur. Trop confiant, j'omis de prendre des repères et de regarder ma montre. Mon unique but était maintenant l'allée des

Bombes et les ruisseaux d'eau glacée qui s'y déversaient. Quand la nuit tomba, j'avais perdu toute notion de la distance parcourue et de celle qu'il me restait à parcourir. Après chaque chute, j'avais inconsidérément laissé passer le temps. Accablé de fatigue et de souffrance, je m'étais laissé aller à des rêveries bavardes, fredonnant des chansons au rythme des battements de mon cœur, léchant des flaques de boue que je prenais pour de l'eau, flottant entre le rêve et la réalité tandis que des heures précieuses s'enfuyaient. Et maintenant la nuit était tombée ; j'avançais à tâtons, obsédé par l'allée des Bombes, ignorant la *voix* qui me disait de dormir, de me reposer, d'oublier. Je sortis de mon sac la lampe frontale et continuai d'avancer péniblement jusqu'à ce qu'elle ait rendu l'âme. C'était une nuit sans lune ; seules des centaines d'étoiles scintillaient dans le ciel, dispensant sur les moraines une lueur diffuse.

À dix heures, je trébuchai une fois de plus et m'affalai lourdement sur les rochers. Depuis que ma lampe s'était éteinte, trois heures plus tôt, j'étais pratiquement tombé à chaque pas et je n'avais parcouru que quelques centaines de mètres. Je n'arrivais pas à me relever. Cette fois, j'avais atteint une limite. La *voix* triomphait. Je m'enfilai dans mon sac de couchage et sombrai aussitôt dans le sommeil.

Contre le temps

J'étalai mon sac de couchage sur le toit de la tente et je me dirigeai vers le gros rocher qui abritait le coin cuisine. L'immense lassitude qui s'était emparée de moi la veille semblait s'être dissipée. Seuls mes doigts noircis témoignaient encore de mon aventure. J'avais oublié à quel point ils étaient atteints, je m'étonnai de ne pas pouvoir tourner correctement la manette du réchaud. Richard me le prit des mains et l'alluma. Sans un mot, il se mit à préparer le petit déjeuner. Je me doutais de ce qu'il avait en tête, mais je préférais ne pas en parler. La nuit dernière, il avait abordé le sujet de notre retour à Lima. Rien ne nous retenait plus ici ; il devait en outre faire renouveler son visa. Je lui avais dit que j'avais encore besoin de me reposer, de reprendre des forces. La veille, c'était sans doute vrai, mais plus à présent. Je me sentais complètement rétabli, mon appétit en témoignait, et Richard l'avait sans doute remarqué. En revanche, mon esprit, lui, était loin d'être guéri. Je savais que si je me décidais à partir, je serais délivré de cette présence obsédante qui me poursuivait de ses accusations ; la vie trépidante de Lima balayerait cette chape de silence qui m'écrasait dès que je me retrouvais seul. Il valait mieux que je quitte cet endroit, pourtant je n'arrivais pas à m'y résoudre. Les montagnes me retenaient prisonnier. Un sentiment indéfinissable m'empêchait de partir. Et ce n'était pas uniquement la peur d'affronter les gens, de devoir leur tenir tête. J'avais fait la seule chose possible, et je défiais quiconque d'oser dire le contraire. J'étais autant une victime que Joe. Il se trouvait que j'avais survécu – cela n'avait rien d'un crime. Alors pourquoi n'arrivais-je pas à me décider ? D'un air distrait, je regardai la superbe face immaculée du Sarapo. Demain, peut-être...

– Ça va mieux ? Richard avait interrompu ma songerie.

– Oui, oui, bien mieux. À part mes doigts... Je me dérobai, regardant mes mains pour ne pas rencontrer son regard.

– Je pense que nous devrions partir.

Je m'attendais à ce qu'il tourne autour du pot et cette brutale affirmation me prit de court.

– Quoi ?... Oui. Tu as sans doute raison. C'est seulement... Je ne suis pas prêt. Je...

– Rester ici ne va pas t'aider. Si ?

– Non, sans doute... J'examinai mes doigts.

– Bon, et bien dans ce cas nous devrions songer à récupérer les ânes. Spinoza est en bas, aux cabanes. Je peux aller régler ça avec lui.

Je ne répondis pas. Pourquoi étais-je si fermement opposé à ce départ ? Il n'y avait plus rien à espérer. Vouloir rester ici à tout prix était absurde. Pourquoi n'arrivais-je pas à me décider ?

– Écoute, ajouta Richard avec douceur, cela ne le fera pas revenir. Tu le sais aussi bien que moi. Si tu avais cru qu'il y avait encore une chance de le retrouver, tu serais reparti à sa recherche, non ? Alors laisse tomber,

maintenant. Il reste des tas de choses à faire, informer l'ambassade, contacter sa famille, s'occuper des formalités, retenir nos places d'avion, tout ça. Je pense vraiment que nous devrions partir.

– Tu peux peut-être y aller, toi, et je suivrai dans quelques jours. Tu pourrais t'occuper de l'ambassade et des paperasseries, de ton visa. Je viendrai un peu plus tard.

– Pourquoi ? Viens donc avec moi. Ça vaudra mieux.

Je ne répondis pas ; il se leva et rentra dans sa tente. Il en ressortit avec la ceinture dans laquelle il rangeait son argent.

– Je descends voir Spinoza. Je vais essayer de le persuader de monter dès aujourd'hui avec les ânes. Si nous partons vers midi, nous pouvons arriver à Huayallapa dans la journée. Sinon, je lui demanderai de venir nous chercher demain matin.

Il tourna les talons et se dirigea vers le chemin, en direction des cabanes. Mais avant qu'il ait traversé le lit de la rivière, je m'étais levé et je courais après lui :

– Hé, Richard ! Il se retourna. Je criai. Tu as raison. Mais demande à Spinoza de monter avec les ânes demain, pas aujourd'hui. Nous partirons tôt, demain matin. Ça va ?

– Oui, d'accord. À tout à l'heure.

Et il continua son chemin. Lorsqu'il revint, deux heures plus tard, je l'attendais à côté d'une bouilloire de thé chaud. Il me donna du fromage qu'il avait acheté aux jeunes filles. Le soleil nous réchauffait le dos tandis que nous mangions, assis sur nos karrimats.

– Il a dit qu'il serait ici à six heures du matin. Mais tu connais leur notion de l'heure... C'est très souvent approximatif !

– Bien.

Maintenant que la décision était prise je me sentais soulagé. Des tas d'occupations m'attendaient, qui m'empêcheraient de ruminer toutes ces idées noires. Il allait falloir démonter le camp, répartir notre matériel en charges à peu près égales. À propos, combien un âne peut-il porter, déjà ? Vingt kilos de chaque côté ? On verra bien. De toute façon, nous serons beaucoup moins chargés, cette fois. Il faudra aussi penser à payer Spinoza. Après tout, on pourrait peut-être marchander, faire du troc avec notre matériel ; un certain nombre de choses devraient l'intéresser – les cordes, les casseroles ou les couteaux de poche. On pourra certainement trouver un arrangement. Après, nous aurons deux jours de marche, et puis l'autobus, à Cajatambo. Là il faudra informer la police que nous retournons à Lima. Premier problème ! Ils voudront savoir, pour Joe. Il n'y a qu'à ne rien leur dire, cela nous évitera des désagréments. Nous pourrons nous occuper de régler ces questions à Lima, avec l'aide de l'ambassade. Il faudra aussi que j'appelle les parents de Joe. Mon Dieu, mais qu'est-ce que je vais bien pouvoir leur dire ? Dis-leur simplement qu'il s'est tué en tombant dans une crevasse, tu leur raconteras les détails de vive voix. Oui, c'est sans doute la meilleure chose à faire. J'espère en tout cas que nous pourrons rapidement avoir des places dans un avion. Je n'ai pas envie de tourner en rond dans Lima pendant plusieurs jours. En fin de compte je ne visiterai pas la Bolivie. Joe, lui, voulait aller en Équateur. Eh bien, nous ne verrons ni l'un ni l'autre...

– Hé ! Je levai la tête. Richard se tenait derrière la grande tente, appuyé contre un rocher.

– Qu'y a-t-il ?

– Est-ce que tu n'avais pas caché ton argent quelque part avant de partir pour le Siula ?

– Bon Dieu, j'avais complètement oublié ! Je me levai et me dirigeai vers lui. Non, ce n'est pas ici. Je l'ai caché sous un rocher à côté de la réserve de gaz.

Mais notre recherche s'avéra vaine. Je me torturais les méninges. Où avais-je bien pu mettre le petit sac de plastique qui contenait deux cents dollars ?

– Peut-être par là, murmurai-je sans conviction.

Richard éclata de rire.

– Bravo ! Si on ne le retrouve pas, on aura du mal à retourner à Lima ! Allez, fais un effort.

– Je pensais pourtant que c'était par là... mais je ne suis plus très sûr. Après tout, ça fait une semaine !

Soudain mes yeux se posèrent sur un rocher, derrière la réserve de gaz. Je le soulevai : le sac se trouvait dessous, avec les billets. Je criai d'un air triomphant :

– Je l'ai.

– Dieu merci ! J'étais en train de me demander si les enfants ne l'avaient pas déniché en jouant.

Richard se mit à préparer le repas pendant que je comptais les billets. Il nous restait très exactement cent quatre-vingt-quinze dollars. C'était largement suffisant. Je me demandais combien de temps nous prendraient toutes les démarches, à l'ambassade, à la police. Nous pouvions nous attendre à y passer plusieurs jours ; la bureaucratie était lourde dans ce pays.

– Et l'argent de Joe ?

Richard suspendit son geste.

– Quel argent ?

– Il avait une cache, lui aussi. Tu ne te souviens pas ?

– Il ne m'en a jamais parlé.

– En tout cas, il m'en a parlé, à moi. C'était un problème qui semblait lui tenir à cœur. Il m'a même traîné jusqu'à l'endroit où il l'avait caché.

– Eh bien, tu n'as plus qu'à aller le chercher.

– Je ne me souviens plus…

Richard partit d'un grand éclat de rire. Je l'imitai, un peu étonné par ce débordement de bonne humeur, et surtout par la façon dont j'avais dit « l'argent de Joe » sans aucune arrière-pensée, comme s'il s'était agi de quelqu'un d'autre. Hier son fantôme était parti en fumée lorsque j'avais brûlé ses vêtements. Après tout, il ne s'agissait que de billets. C'était notre argent ; enfin, si nous arrivions à mettre la main dessus.

– Combien avait-il ?

– Pas mal. En tout cas, plus que moi.

– Bon, il faut absolument le retrouver. Je ne vais pas laisser pourrir plus de deux cents dollars sous un rocher !

Il se leva et commença à soulever les pierres aux alentours de la réserve de gaz. Ce fut à mon tour de ricaner.

– Mais à quoi tu joues ? Tu n'as pas la moindre idée de l'endroit où il a bien pu le cacher, et il y a des milliers de rochers dans le coin !

– Tu as une meilleure idée, peut-être ? La mémoire te revient ?

– Agissons au moins de façon intelligente. Je suis certain, en tout cas, que ce n'était pas dans les parages.

Je me dirigeai vers un groupe de gros rochers ; je les examinai dans l'espoir qu'un détail réveillerait mes souvenirs. Ils se ressemblaient tous. Je fouillai néanmoins l'endroit systématiquement, jusqu'à ce que je puisse affirmer que ce n'était pas là. Puis je répétai l'opération autour d'un second groupe de rochers.

Richard attendait, un sourire narquois sur les lèvres. Au bout d'une heure, toujours bredouille, je m'arrêtai et le regardai.

– Allez, viens. Ne reste pas planté là. Donne-moi un coup de main.

Après une heure de vaines recherches, je décidai de nous accorder une pause pour nous faire un thé. Nous étions découragés.

– Il faut bien qu'il soit quelque part, bon Dieu ! Je sais qu'il l'a caché sous une pierre à côté d'un gros bloc, à environ dix mètres de la grande tente.

– Comme tu le disais tout à l'heure : il y a des milliers de rochers autour de la tente...

Entrecoupée de tasses de thé et de discussions, notre quête continua, mais en vain. Vers quatre heures de l'après-midi, les jeunes filles apparurent, accompagnées par deux enfants. Il nous fallut arrêter nos recherches. Elles m'adressèrent un sourire apitoyé, ce qui eut le don de m'exaspérer. Richard leur avait parlé de l'accident de Joe quand il était descendu voir Spinoza. Le bel après-midi se trouvait brusquement gâché par leur mine affligée. Elles m'agaçaient... De quel droit prenaient-elles cet air navré ? J'avais suffisamment souffert comme ça, elles n'avaient pas besoin d'enfoncer le couteau dans la plaie.

Richard prépara du thé. Elles s'accroupirent près du réchaud, les yeux braqués sur moi. Elles semblaient chercher quelque chose sur mon visage. Je pris leur silence pour de la pitié. Bouche ouverte, les deux enfants me fixaient avec un égal sans-gêne. On aurait dit qu'ils s'attendaient à me voir agir de façon extravagante. Enfin la plus âgée lâcha quelques mots. Je n'avais pas compris, mais je vis la colère se peindre sur le visage de Richard.

– Elles veulent savoir ce que nous avons l'intention de leur donner, me dit-il d'un air incrédule.

– Quoi ?

– C'est tout. Rien à voir avec Joe. Elles s'en fichent complètement.

Pendant ce temps, les jeunes filles bavardaient tranquillement, nous adressant parfois un sourire interrogateur. Norma finit par se pencher en avant et se mit à fouiller dans les ustensiles de cuisine. J'explosai. Je sautai sur mes pieds en faisant de grands moulinets avec les bras. Elle laissa tomber la poêle qu'elle tenait à la main et regarda Gloria d'un air effaré.

– Allez-vous en ! Vayase. *Allez, fichez-moi le camp d'ici !*

Manifestement déconcertées par cet accès de colère, elles se rassirent sans un mot, me fixant d'un air interdit.

– Richard, s'il te plaît, dis-leur de se tirer avant que je m'en occupe moi-même !

Furieux, je m'éloignai à grands pas. Quelques minutes plus tard, je les vis aider les petits à monter sur les mulets, puis se mettre en route. J'en tremblais encore de colère quand je revins dans le camp après leur départ.

Le crépuscule tombait à peine quand les premières gouttes de pluie s'écrasèrent sur les rochers, nous obligeant à nous réfugier dans la grande tente pour y préparer le dîner. Bientôt la pluie se transforma en gros flocons mouillés, et je baissai vite la fermeture à glissière. Demain matin nous chargerions les ânes et quitterions cet endroit. Quel soulagement ! Vers sept heures du soir, un gémissement à vous glacer le sang nous parvint, montant de la vallée envahie par les nuages.

– Bon Dieu, mais qu'est-ce que c'est ?

– Des chiens.

– Ils en font un drôle de bruit, tes chiens !

– Tu serais surpris ! Pendant que j'étais seul, j'ai entendu des choses étranges, la nuit. Je n'ai jamais eu si peur de ma vie !

Après une dernière partie de cartes, je soufflai la bougie et chacun s'installa de son côté pour la nuit. Je ne pouvais m'empêcher de penser à la neige qui recouvrait le glacier, au pied du Siula, et une immense tristesse revint s'installer au fond de mon cœur.

Je n'ouvris les yeux que pour les refermer immédiatement ; la luminosité était déjà si forte que des larmes embuaient ma vision. Je fis rapidement le point sur mon état. Je me sentais faible et gelé. Il était encore tôt, et le froid de la nuit ne s'était pas encore évaporé au soleil. Mon sac de couchage était trempé et des cailloux me rentraient dans les côtes. Mon cou me faisait mal, ce qui n'avait rien d'étonnant car ma tête reposait dans une étrange position, entre deux pierres. La nuit m'avait paru interminable, d'autant plus que je n'avais pratiquement pas fermé l'œil. Les nombreuses chutes de la veille avaient affecté ma jambe à un point tel que dès que je commençais à m'assoupir, la douleur me réveillait. Au milieu de la nuit, une violente crampe m'avait tiré d'un demi-sommeil, m'obligeant à me contorsionner dans tous les sens pour masser les muscles de ma jambe. J'avais ainsi passé des heures à grelotter sur mon lit de cailloux, regardant palpiter les innombrables étoiles qui parsemaient le ciel. Parfois une étoile filante traversait la nuit, s'enflammant brusquement avant de disparaître, mais ce spectacle n'éveillait en moi aucune émotion. L'idée que je ne pourrais peut-être plus jamais me lever m'obsédait. Étendu sur le dos, immobile, j'avais l'impression d'être cloué au sol, écrasé par une immense lassitude ; le ciel clouté d'étoiles semblait peser sur moi, implacable. Je ne pouvais détacher mes yeux de l'immensité étoilée, et je flottais, hors du temps, entraîné dans un abîme de solitude. Je ne bougerais plus d'ici, je resterais allongé dans cette moraine pendant des siècles, attendant un soleil qui ne se lèverait jamais.

Je plongeais parfois dans le sommeil pendant quelques minutes, pour retrouver mes angoisses à la seconde même où j'en émergeais. Elles s'insinuaient en moi, et j'avais beau savoir qu'elles étaient dénuées de fondement, je n'arrivais pas à leur échapper. La *voix* me répétait qu'il était trop tard ; le temps avait fui, inexorablement.

Maintenant le soleil inondait mon visage, mais le reste de mon corps reposait encore dans l'ombre d'un large rocher. Je desserrai la cordelette de mon sac de couchage avec les dents et réussis péniblement à m'en extraire. Le moindre mouvement me déchirait le genou. Je me déplaçai de quelques mètres pour être au soleil, et ce simple effort suffit à m'épuiser. J'avais atteint un degré de délabrement qui me surprit. Je pouvais à peine me traîner en m'aidant avec les bras. Je secouai la tête pour chasser cette insidieuse léthargie qui me paralysait, mais sans résultat. Je retombai, prostré, sur les rochers. Je m'étais transformé en une pâte molle, vidée de toute énergie. Je me heurtais à une fin de non-recevoir. Je n'aurais pu dire s'il s'agissait d'une résistance physique ou mentale, toujours est-il que je voulais bouger, mais que mon corps ne répondait pas. Je devais me concentrer avant d'effectuer le moindre geste, comme celui de simplement lever les bras pour me protéger du soleil. Je gisais, immobile, affolé par ma faiblesse. Si au moins je trouvais de l'eau, j'aurais peut-être encore une chance. En tout cas, si je n'atteignais pas le camp aujourd'hui, il n'y aurait plus d'espoir.

Le camp serait-il encore là ?

La question s'imposa brutalement, et pour la première fois. Aussitôt mes terreurs nocturnes revinrent m'assaillir. Il se peut qu'ils soient déjà partis. Simon est revenu au camp depuis deux jours... Plus, c'est le matin du troisième jour ! Une fois qu'il aura repris des forces, il n'aura plus aucune raison de rester.

Je m'assis brusquement, sans effort cette fois. La seule pensée d'être abandonné m'avait donné un coup de fouet. Je dois y arriver aujourd'hui. Il est huit heures du matin ; il me reste donc dix heures de jour.

M'accrochant au rocher avec l'énergie du désespoir, je parvins à me mettre debout. Tout tournait autour de moi, je chancelais, à la limite de l'évanouissement. Mes oreilles bourdonnaient et mes jambes se dérobaient sous moi. Je m'agrippai aux aspérités du rocher, peu à peu les vertiges s'espacèrent et je pus me redresser. Je regardai en arrière ; à ma grande déception, on apercevait encore le haut de la grande pente de glace. J'étais encore loin de l'allée des Bombes. Ma pénible progression titubante de la nuit dernière n'avait servi à rien, et je m'en voulais d'avoir abandonné la méthode qui m'avait si bien réussi. En l'absence d'objectifs précis à atteindre en un temps donné, je m'étais laissé aller au hasard. L'allée des Bombes était alors devenue un but lointain, bien trop vague. Je ne m'étais plus senti aiguillonné par un quelconque sentiment d'urgence et le temps s'était écoulé sans que je puisse avoir la moindre prise sur lui.

Aujourd'hui il en irait autrement. Je me donnai jusqu'à midi pour rallier l'allée des Bombes. Ce qui me laissait quatre heures, à fractionner en petites étapes selon un plan très rigoureux. Un gros pilier de rocher rouge, qui dépassait tous les autres blocs, me servirait de repère pour l'instant. D'ici une demi-heure, je devrais l'avoir atteint ; et puis j'en trouverais un autre.

J'enfilai les bretelles de mon sac à dos et me penchai sur mon piolet. Au moment même où je prenais mon élan pour sauter, je sus que j'allais tomber. Mon bras partit de côté ; déséquilibré, je m'étalai. Impossible de me relever avec mon piolet. De nouveau, je dus m'agripper au rocher. Lorsqu'un quart d'heure plus tard je me retournai pour vérifier ma progression, l'endroit où j'avais dormi était encore visible. Je tombais à chaque pas et je devais déployer des efforts surhumains pour me relever. À la première chute, l'intensité de la douleur m'avait surpris. Elle était si aiguë que j'avais dû rester allongé un long moment, les dents serrées, en attendant qu'elle diminue. Puis j'avais fini par m'y habituer ; elle s'était installée, plus intolérable que jamais, broyant mon genou dans un puissant étau.

– Ça suffit, je n'en peux plus...

Mais elle avait pris possession de ma jambe. Alors je me forçai à me relever, comme pour l'obliger à lâcher prise. Tous les muscles de mon visage se contractèrent en signe de protestation. Et je retombai. La douleur restait constante. Mon genou avait encaissé tant de chocs qu'il avait sans doute dépassé les limites admises de la souffrance. C'est du moins ce que j'imaginais.

Pendant ce dernier quart d'heure, j'avais épuisé mes dernières ressources. À chaque nouvelle chute, j'avais senti mes forces décliner, lentement étouffées par cette douleur lancinante. Une fois encore je me relevai, pour retomber aussitôt, tordu par la souffrance, hurlant, jurant. Je sentais que ces efforts convulsifs représentaient mes tout derniers sursauts de volonté. Je me tenais à un rocher ; lentement je le lâchai et pris mon élan. Mon pied resta collé au sol et je basculai sur le côté, incapable même de me protéger avec les bras.

Le coup m'assomma. La douleur s'estompa tandis que, tout étourdi, je flottais dans un état nébuleux. Je m'étais entaillé la lèvre sur un rocher, je sentais le goût du sang dans ma bouche. Je levai les yeux. Le pilier rouge s'élevait non loin de moi. Plus que dix minutes ! Je n'avais aucune chance d'y parvenir... Les yeux fermés, la joue contre le sol caillouteux, je revoyais confusément le chemin parcouru, et celui qui s'étendait en avant de moi. Tout mon être criait merci, me suppliait d'abandonner. Je n'avais plus qu'une envie, me laisser emporter par le sommeil. J'acceptais le fait que je n'atteindrais jamais le camp. Pourtant la *voix* protestait, et j'écoutais ses arguments. En cet instant, peu m'importait de rejoindre le camp ; il était encore si loin. Mais je me révoltais à l'idée de renoncer ici, dans ces moraines, alors que j'avais survécu à tant de dangers, connu tant d'épreuves. La *voix* finit par l'emporter. Je savais où j'allais. Je le savais depuis que j'étais sorti de la crevasse.

Faute de mieux, je continuerais à avancer, je continuerais à tout mettre en œuvre. J'essaierais jusqu'au bout. Après l'allée des Bombes, je me dirigerais vers le lac supérieur, puis je traverserais d'autres moraines jusqu'au second lac et, après l'avoir contourné, j'aborderais le dernier ressaut morainique et le descendrais pour arriver au camp. J'avais désormais un plan; peut-être que je ne pourrais pas le suivre, mais cela m'était égal, à présent.

Je sautai et atterris au bord d'une légère dépression. Je tombai et roulai de côté dans cette cuvette. Un lointain murmure cristallin me parvint à travers une sorte de brouillard. Mon visage était humide. Le gravier boueux, au pied du rocher, était mouillé. Je me tournai vers le bruit; un filet d'eau argenté coulait sur le rocher doré. J'avais enfin atteint l'allée des Bombes. Il était une heure de l'après-midi. J'avais une heure de retard sur mon horaire.

Une grande dalle rocheuse incurvée bordait la cuvette au fond de laquelle je gisais. Un cône de pierraille montait à l'assaut du rocher, juste à l'endroit où ruisselait le filet d'eau. La neige qui recouvrait les rochers un peu plus haut fondait au soleil, et l'eau s'écoulait le long de la dalle. Avec des forces renouvelées, je me traînai jusqu'aux éboulis que je balayai d'un coup de piolet. Je posai mes lèvres sur le mince fil d'argent. L'eau était glacée. J'aspirai goulûment, ne m'arrêtant que pour reprendre ma respiration. L'eau m'éclaboussait, me coulait sur les paupières, le long du nez. Parfois j'en reniflais par mégarde et je m'ébrouais comme un animal, puis je continuais à laper le rocher.

Pendant de longues minutes, je bus ainsi, frénétiquement. Le terrible brasier qui me desséchait le gosier était éteint, mais ma soif était loin d'être apaisée pour autant. Chaque gorgée me faisait revivre. Je m'assis de côté sur le rocher, mes épais pantalons absorbant l'humidité. Quand enfin je retrouvai un semblant de lucidité, je creusai un petit bassin dans les éboulis et le regardai se remplir d'une eau pure – il y en avait une bonne gorgée. Le temps que j'avale et que je me penche à nouveau, il débordait presque. Je bus encore et encore, jusqu'à ce que toute cette eau glaciale me pèse sur l'estomac ; mais je ne pouvais me résoudre à m'arrêter. Parfois j'avalais des petits cailloux qui se coinçaient dans ma gorge ; je m'entendais geindre et grogner, autant de plaisir que de contrariété.

Dès que je faisais une pause, pensant que cette fois j'avais bu tout mon soûl, j'étais repris d'un besoin impérieux et je me précipitais à nouveau sur le précieux liquide. Le visage couvert de boue et de gravier, j'agrandissais le petit bassin, y plongeant mes mains, pétrissant les cailloux. Je buvais, me reposais, et buvais encore, pris soudain d'une peur incontrôlable, celle de voir le bassin se vider brutalement. Après trois jours sans boire, j'étais comme fou devant toute cette eau, je ne pouvais m'arracher de cet endroit. Les yeux clos, le visage crispé, je buvais à n'en plus finir – jamais je ne me serais cru capable d'absorber autant de liquide. J'avais l'impression que mon organisme était garni de papier buvard qui s'imprégnait peu à peu. Enfin repu, je m'effondrai sur le sol.

Je sortis d'une torpeur béate et regardai autour de moi, ragaillardi par le gargouillis de l'eau. L'endroit ne m'était pas inconnu. J'étais déjà passé par ici, une première fois avec Simon et Richard, puis avec Simon seulement. Il y avait huit jours… Incroyable ! J'avais l'impression que vingt-quatre heures à peine s'étaient écoulées depuis le moment où, assis sur nos sacs à dos, nous avions discuté avec animation de l'ascension qui nous attendait. Des cailloux ricochèrent sur la dalle. Instinctivement je me baissai, tandis qu'ils allaient mitrailler les éboulis un peu plus loin. L'eau avait opéré en moi une prodigieuse transformation. Je me sentais comme neuf. Plus aucune trace de désarroi, ni de cette faiblesse débilitante qui s'était emparée de moi au réveil. Je sentais revenir toute ma combativité. Ce matin j'avais eu l'impression de me casser les dents contre un mur, maintenant il avait disparu comme par enchantement.

Le lac supérieur se trouvait à une demi-heure de marche d'ici, ce qui représentait pour moi environ trois heures de progression. Je me fixai un horaire : je devrais arriver au lac à quatre heures. Je me levai et, après une dernière gorgée, je me mis en devoir de quitter cette cuvette. À l'autre bout, je tombai sur des traces de pas. Je m'arrêtai pour les examiner et reconnus l'empreinte des chaussures de Simon, et celles, plus petites, des baskets de Richard. Cela me donna un coup de fouet ; désormais ils se tenaient à mes côtés.

Les moraines, devant moi, offraient un visage moins chaotique. L'empilement de gros blocs que j'avais rencontré plus haut cédait la place à un vaste tapis de caillasse, parsemé de gros rochers. Les cailloux roulaient toujours sous mon piolet et je continuais à tomber ; mais j'avais moins de chance d'aller m'écraser contre un rocher, et il m'était plus facile de garder mon équilibre lorsque je me tenais debout. Si l'eau m'avait réveillé, le soleil brûlant pesait lourdement sur moi, minant sans pitié mon énergie retrouvée. Je flottais entre rêve et réalité. Je me réveillais en sursaut et me relevais rapidement, essayant de secouer la torpeur dans laquelle j'étais englué.

Les séquences de mouvements se mettaient en place d'elles-mêmes, sans que j'aie besoin d'y songer. Elles m'étaient devenues aussi naturelles que le réflexe de la marche. La *voix* continuait à m'exhorter, mais elle n'avait plus ce ton impérieux de la veille. Elle suggérait, par exemple, qu'il serait plus intelligent d'avancer que de rester bêtement ici. Il était relativement facile d'ignorer ces susurrements, et je repartais dans mes rêveries, couché sur le sol. Oui, oui, je vais y aller, mais d'abord je vais me reposer encore un peu… et la *voix* se perdait dans un confus réseau de rêves. Des fragments de vieilles conversations et des voix familières émergeaient parfois au milieu de bribes de chansons, tandis que défilaient dans ma tête des images variées, un méli-mélo surréaliste, un déferlement débridé qui faisait penser aux déchaînements cinématographiques des années soixante. J'avançais en titubant, et dès que je pouvais trouver un rocher, je m'y appuyais et laissais le sommeil m'emporter, loin de ce morne décor qui s'étendait uniformément de tous côtés.

Seule ma montre me rattachait à la réalité. Les heures glissaient sur moi, vides de signification. En revanche, j'étais tout à fait conscient des précieuses minutes que je perdais en rêveries. Parfois une douleur plus violente me faisait crier ou gémir, puis je sombrais de nouveau dans le délire. La souffrance faisait tellement partie de mon univers que je l'accueillais sans surprise, étonné qu'elle n'ait pas redoublé d'intensité après certaines chutes. D'innombrables questions défilaient dans ma tête, qui ne recevaient pas de réponses ; mais pas une fois je ne me demandais ce qui m'arrivait. Parfois je m'éveillais au son de ma propre voix, cherchant vainement mes interlocuteurs, fouillant du regard les alentours, sans succès. Mon instinct seul me guidait le long d'un chemin qu'il n'avait pas oublié, et j'avançais en boitillant à travers un univers que mes yeux ne voyaient pas. J'évoluais dans une sorte de brouillard ; seule une succession de chutes, et de rochers, marquait le rythme de ma progression.

À trois heures, j'avais atteint un endroit où la moraine s'engouffrait dans un couloir pentu recouvert d'argile jaunâtre au pied duquel serpentait un petit torrent. Je me souvenais que ce couloir s'allongeait jusqu'au lac. Il s'élargissait, puis venait butter contre un étroit plateau argileux issu du front morainique. Je ne pouvais pas m'engager dans la pente en sautillant ; j'entrepris de la descendre en glissant sur les fesses. De chaque côté, les parois couronnées de blocs en équilibre instable me dominaient. Le fond du couloir, plongé dans l'ombre, bénéficiait d'une agréable fraîcheur. De temps en temps je m'allongeais et regardais les parois qui se profilaient contre le ciel, en fredonnant une chanson. Le sol était spongieux et mes vêtements s'étaient rapidement imbibés d'humidité. Quand je me redressai, un filet d'eau sale me coula dans le dos, s'infiltrant jusque dans mon pantalon déjà trempé. Si l'envie m'en prenait, en pivotant de côté, je pouvais aspirer un peu d'eau boueuse qui ruisselait sur l'argile. Et je continuais à descendre, perdu dans mes songes.

Bientôt mon imagination se mit à peupler le couloir de personnages qui descendaient autour de moi. Je me figurais qu'il s'agissait d'un exode d'infirmes, ils empruntaient ce chemin ocre pour se rendre au bord de la mer ; puis mon esprit dériva, je pensai à un repas, et la vision de tous ces gens se dissipa. Par-ci par-là j'apercevais des empreintes et je me demandais à qui elles appartenaient. Puis je me souvins des traces, à l'allée des Bombes, et j'eus un sourire ; Simon et Richard me suivaient de près. Je n'étais plus seul, je pouvais les appeler en cas de besoin. D'ici je ne les voyais pas mais je sentais leur présence. Je suis dans un tel état... ils sont gênés, ils n'osent pas s'approcher. Mais je n'ai pas besoin d'eux, je ne veux pas leur faire honte. Un peu plus tôt, pris d'un pressant besoin d'uriner, je n'avais pas réussi à me déshabiller à temps. Cela ne fait rien, ils comprendront. Je continuais à fabuler, mais soudain la bulle vola en éclats, emportant leur présence réconfortante.

Affolé par ce brutal retour à la réalité, je stoppai ma descente. Bientôt une autre mélopée se mit à chanter dans ma tête, effaçant graduellement mon désarroi. En levant les yeux, j'aperçus le lac qui miroitait au soleil. Ravi, j'accélérai. Je gueulai sur un ton joyeux :

– Il est quatre heures, tout va bien !

À la sortie du couloir une étendue caillouteuse s'étalait en demi-lune, formant une petite plage au bord du lac. La pente s'était adoucie à tel point que je ne pouvais plus glisser. J'essayai de me relever. Le lac se mit à danser devant mes yeux, mes oreilles commencèrent à bourdonner et je m'étalai sur les gravillons dans un affreux craquement. Un cri de douleur me parvint, assourdi. Je renouvelai ma tentative, mais retombai avant même d'avoir atteint la position verticale. Ma jambe se dérobait sous moi.

Au début je tentai de me rassurer, j'avais dû m'ankyloser en descendant le couloir de cette façon ; mais je dus me rendre à l'évidence – j'étais tout simplement trop faible pour sauter sur un pied. Un jet d'urine brûlante me coula le long de la cuisse. J'attendis que l'étoffe mouillée refroidisse, puis j'essayai de me redresser. Je ne réussis qu'à me mettre à croupetons, cramponné à mon piolet qui chancelait sous mon poids. Je ressemblais à un vieillard impotent. Je plaçai ma jambe brisée en avant et culbutai sans aucune raison. Je n'avais même plus la force de me tenir debout ; je devais me résoudre à ramper sur le ventre.

L'eau du lac était d'une incroyable pureté. Des ombres d'un profond vert cuivré luisaient dans les profondeurs. Sur le bord opposé, des murs de glace d'un gris sale s'avançaient dans l'eau. Une cascade rebondissait distraitement sur la glace. Une petite brise venait l'ébouriffer par intervalles, faisant danser dans ma direction de chatoyants reflets mordorés. Je gisais à plat ventre sur la plage sablonneuse qui descendait en pente douce jusqu'au lac. J'avais sommeillé par à-coups, ne me réveillant que pour fixer le lac d'un œil vague avant de replonger dans le sommeil. Mes pantalons avaient séché, une âcre odeur d'urine flottait autour de moi. Une heure s'était écoulée ainsi. J'hésitais à me lever.

Le lac s'étirait en direction de notre camp de base. Plus loin, un amas de détritus morainiques le coupait en deux. Derrière, un second petit lac s'arrondissait, juste au-dessus de nos tentes. À part ce court passage dans les moraines, le terrain était pratiquement plat. Les plages de fins gravillons suivaient la rive jusqu'au barrage morainique, ensuite il n'y avait plus que des pentes. Si seulement j'arrivais à me tenir debout, je pourrais progresser beaucoup plus vite qu'en rampant – et atteindre le barrage avant la nuit. Alors j'apercevrais les tentes… si elles étaient encore là. Et si je criais, ils m'entendraient peut-être, et ils viendraient à mon secours. Mais s'ils étaient partis…

Je regardais danser les reflets sur l'eau. S'ils étaient partis, et bien... Cette perspective me terrifiait ; je ne connaissais que trop la réponse. Mais je n'arrivais pas à accepter qu'il puisse en être ainsi. Pas après tout ce que j'avais enduré. On ne pouvait tout de même pas imaginer un épilogue aussi cruel ! En franchissant les murailles de glace, j'étais sorti de l'univers de la montagne ; n'avais-je pas échappé à la force malveillante ? Au fond de moi quelque chose m'empêchait de bouger. En fait, je ne voulais pas arriver avant la nuit. Si les tentes avaient disparu... jamais je n'y résisterais.

La *voix* disait :

– Allons, ne sois pas stupide, dépêche-toi, il ne te reste plus que deux heures de jour.

Je plongeai mes regards dans le lac, écartelé entre toutes mes angoisses, cloué sur place. Quand enfin je me décidai à agir, il me sembla qu'un énorme poids s'accrochait à moi, comme si mes peurs et mes incertitudes s'étaient soudain solidifiées au fond de moi-même. Je me sentais si lourd que je crus ne jamais pouvoir faire un pas de plus. D'ailleurs je m'écroulai presque immédiatement. Je continuai en rampant. Mon pied s'accrochait dans les rocailles, de violentes secousses parcouraient ma jambe. Je repris la position de côté que j'avais adoptée sur le glacier. Je progressais avec une lenteur désespérante, mais de façon régulière. Je suivais la rive du lac, son léger clapotis berçait ma rêverie. Ce doux murmure revenait comme un leitmotiv. Là-haut dans la montagne, un bruit de ressac avait déjà apaisé mes terreurs alors que je croyais ma dernière heure arrivée. Cette fois encore, les vagues clapotaient gaiement à mes côtés, accompagnant ma lente progression de leur chant mélodieux.

À ma grande surprise, au bout d'une heure, j'avais déjà traversé la bande de moraines et atteint le second lac. Je reconnus l'endroit où j'avais tenté de pêcher des truites. Je m'arrêtai pour examiner le barrage morainique qui fermait le lac. Je me souvenais que pour venir jusqu'ici depuis le camp, il m'avait fallu un quart d'heure de marche. Combien de temps cela pouvait-il prendre en rampant ? Je calculai que j'avais mis cinq heures de l'allée des Bombes jusqu'à ce lac – au lieu d'une heure de marche en temps normal. Mais je n'arrivais pas à me faire une idée très nette de ma vitesse de progression. Pourtant, en y regardant bien, je pensais pouvoir y parvenir avant la nuit, c'est-à-dire en une heure au plus.

Le soleil avait disparu derrière de gros cumulus. Venus de l'est, ils s'entassaient dans le cirque de montagnes, noirs, gorgés d'humidité. Une tempête se préparait. J'atteignis le pied du barrage alors que les premières gouttes commençaient à s'écraser sur les cailloux. Le vent s'était levé et des rafales d'air glacé ébouriffaient la surface du lac. Je frissonnai. Le barrage se dressait devant moi, une pente inclinée à quarante-cinq degrés, faite de pierraille et de boue, avec quelques rochers émergeant par endroits. La dernière fois que j'étais passé par là, j'avais perdu pied et glissé. Le sommet de cette butte, crénelé de gros blocs, se découpait sinistrement sur un fond de brouillard menaçant. Des flocons se mêlaient à la pluie, la température tombait rapidement.

Je me servis de mon piolet dans la boue comme je l'aurais fait sur de la glace. Je l'ancrai dans la pente et me hissai avec les bras. Mon pied dérapait, à la recherche d'un quelconque affleurement rocheux sur lequel je pourrais prendre appui pendant quelques secondes, le temps de planter mon piolet un peu plus haut. Ma jambe brisée ballottait derrière moi, inutile. Plus je montais, plus l'angoisse m'étreignait. Je me disais que j'avais peur de lâcher prise, de glisser et de devoir renouveler ma tentative. Mais la panique qui montait en moi avait des racines bien plus profondes. La pensée de ce que j'allais peut-être découvrir depuis le sommet m'anéantissait par avance. En réalité, ce profond sentiment de détresse ne m'avait jamais vraiment lâché. Dans la crevasse j'avais touché le fond de l'épouvante, sur le glacier j'avais souffert de la solitude. Mais une fois tous les dangers surmontés, une atroce sensation d'abandon s'était emparée de moi, emplissant ma poitrine, me prenant à la gorge, suçant toute mon énergie. Dévoré d'anxiété, j'étais obsédé par une idée fixe : m'avaient-ils encore abandonné ? Mais cette fois ce serait pour toujours...

J'atteignis enfin le sommet de la pente boueuse et me faufilai en rampant à travers des rochers amoncelés. Je me redressai en prenant appui sur un gros bloc. Il n'y avait rien à voir. La vue était complètement bouchée par les nuages et les giboulées de neige qui s'engouffraient dans la vallée. Si les tentes étaient encore là, je ne pouvais pas les apercevoir. Le crépuscule était tombé. Les mains en porte-voix, je hurlai :

– SI-MON !!!

Mon cri s'étouffa dans le brouillard, emporté par le vent. Je poussai encore un long hurlement suraigu, qui résonna lugubrement dans l'obscurité. M'avaient-ils entendu ? Allaient-ils venir me chercher ?

Pour m'abriter du vent, je me laissai glisser contre le rocher, et j'attendis, tandis que le froid me pénétrait.

Les nuages s'engloutissaient peu à peu dans les ténèbres. L'oreille aux aguets, j'espérais une réponse, sachant pourtant qu'elle ne viendrait pas. Bientôt, lassé de grelotter, je m'éloignai du rocher. Une longue descente m'attendait, une pente herbeuse parsemée de plantes épineuses. J'hésitais à m'y engager ; ne vaudrait-il pas mieux sortir mon sac de couchage et passer la nuit ici ? Mais la *voix* n'était pas d'accord, et je me rangeai à son avis. Il faisait vraiment trop froid. Si je m'endormais maintenant, je risquais fort de ne jamais me réveiller. Je rentrai la tête dans les épaules, essayant d'échapper aux rafales de vent, et je m'enfonçai dans la nuit.

J'avançais à l'aveuglette, complètement désorienté. Je glissais d'un mètre ou deux et m'arrêtais, essayant de percer les ténèbres. J'avais perdu toute mesure du temps, tout sens de la direction. Je savais qu'il fallait que j'avance à tout prix, mais dans quel but ? Des giboulées me giflaient à toute volée, me tirant par à-coups de cette frange de sommeil où je m'enlisais peu à peu. Et je me traînais encore de quelques mètres. De temps à autre, j'allumais le cadran de ma montre. Neuf heures, onze heures, la nuit s'étirait. J'avançais ainsi depuis cinq heures mais cela ne signifiait plus rien, le temps se diluait. Je me souvenais vaguement qu'il fallait dix minutes pour rejoindre le camp ; mais dix minutes ou cinq heures, qu'est-ce que cela voulait encore dire ?

Parfois des épines transperçaient mes pantalons, griffant mes cuisses. Alors je m'arrêtais et tâtais le sol, sans comprendre ce qui m'arrivait. Une nuit opaque dissimulait tout ; et je continuais à glisser, dans un délire confus entrecoupé d'imperceptibles chuchotements.

Je dérivais dans les ténèbres, les pensées roulaient en désordre dans ma tête. Est-ce que je suis encore sur le glacier ? Attention, les crevasses sont dangereuses, là-bas. Pourquoi n'y a-t-il plus de rochers ? En tout cas, la soif ne me tourmentait plus, mais j'aurais tout donné pour savoir où diable je pouvais bien me trouver...

Des pleurs dans la nuit

Presque sans m'en rendre compte, j'avais atteint un espace encombré de rochers et de galets. Encore des moraines ? Je ne savais plus. Ma descente dans cette pente d'herbe et d'épineux m'avait fait perdre toute notion d'orientation. Derrière moi, une ligne sombre et sinueuse se dessinait vaguement sur le sol déjà blanc. Les rochers, eux, n'étaient pas couverts de neige. Mais d'où sortaient-ils ? Je fouillai dans mon sac et en sortis ma lampe. Un pâle faisceau jaunâtre troua la nuit. Je balayai les ténèbres et vis surgir un chaos de rochers gris. Je me trouvais perdu au milieu d'un vaste désert rocailleux, ne sachant de quel côté me diriger. La lumière pâlit et mourut. J'abandonnai la lampe et continuai à avancer au hasard, perdu dans un tourbillon de pensées confuses. J'essayais de me ressaisir, de chasser de ma tête tout ce fatras, de retrouver quelques bribes de lucidité. Le lit de la rivière ! Cette brusque découverte ne me servit guère, car je sombrai immédiatement dans le sommeil ; lorsque je me réveillai, cette idée s'était effacée – ou plutôt elle flottait dans un recoin de mon cerveau embrumé, hors de portée, tandis que mon esprit continuait à vagabonder.

Le lit de la rivière faisait au moins huit cents mètres de large, il était parsemé de rochers, troué de vasques remplies d'eau glaciale. Le torrent coulait quelque part au milieu de ce chaos, mais les hurlements du vent couvraient sa chanson. Les tentes étaient blotties à l'extrémité de cette étendue caillouteuse. Si seulement je savais où je me trouve... Est-ce que je m'en approche, ou est-ce que je repars au contraire vers le barrage ? Mais qui donc s'en soucie !... Je continuais à me traîner, me cognant contre les rochers, geignant lorsque la douleur devenait insupportable, murmurant des questions vides de sens à travers la nuit, des questions auxquelles seul le mugissement de la tempête répondait. La *voix* s'était tue depuis longtemps, j'étais heureux qu'elle ait cessé de me harceler.

Je naviguais entre les rochers à l'instinct, comme si je les avais reconnus, comme si, malgré l'obscurité, je retrouvais un parcours familier, me guidant sur une boussole intérieure. Suis-je encore loin des tentes ? Après tout, ils sont peut-être partis. Il vaut mieux attendre le jour, pour y voir clair. Je m'assis, battu par le vent, mais quelques instants plus tard, je me retrouvais en train d'avancer, sans savoir combien de temps avait bien pu s'écouler. Si j'attendais, rien ne se passerait. « Qui se nourrit d'attente risque de mourir de faim » – tu parles d'un proverbe ! Je pouffai de rire, et ma bonne humeur persista longtemps après que j'en eus oublié la cause.

Lorsque de nouveau je regardai l'heure, je constatai qu'une nouvelle journée venait de commencer. Il était une heure moins le quart. Je sentis le rebord rugueux d'un rocher contre mon épaule. Je me hissai dessus et m'y assis. Je ne pouvais m'empêcher de penser que le camp était tout proche. Je scrutai les ténèbres. C'est par ici ; j'en suis sûr. Une odeur fétide me monta aux narines. Je reniflai mes moufles ; une puanteur écœurante s'en dégageait. Il se passa quelques minutes avant que je réagisse.

– De la merde... Mais pourquoi est-ce que je suis assis dans la merde ?

Je me laissai aller en arrière sur le rocher. Je savais où je me trouvais, mais j'étais incapable d'aligner deux idées de suite. Je regardai devant moi d'un œil vague. Le rocher qui abritait la cuisine s'élevait non loin, mais dans quelle direction ? Une brusque rafale de neige me gifla violemment et je levai mon bras pour me protéger. De nouveau l'odeur me sauta aux narines et la lumière se fit soudain dans mon esprit. Je n'ai qu'à appeler ! Je me redressai et criai d'une voix rauque. Un son informe s'étrangla dans ma gorge. Muet, je regardais la nuit, et j'attendais.

Ils sont peut-être partis. De nouveau le froid me saisissait ; je sentais ses doigts glacés dans mon dos. Je ne passerai pas la nuit, c'est évident. Pourtant cette pensée ne me tourmentait pas, il y avait longtemps que les notions de vie et de mort avaient perdu toute signification. Les événements des derniers jours se fondaient dans le brouillard, je flottais à mi-chemin entre rêve et réalité, sur une frontière floue, aux confins de la conscience. Vivant, mort, qui pouvait dire la différence ? Levant la tête, je hurlai un nom dans la nuit :

– SI-MON !!!

Je chancelai sur mon rocher, essayant de percer les ténèbres. Je les implorais frénétiquement, et j'entendais une voix brisée murmurer à mes côtés.

– Je vous en prie, soyez là... Vous devez être là...

Oh ! Bon Dieu... Allez, je sais que vous êtes là... Espèces de salauds, venez à mon secours... venez m'aider...

Des flocons se posaient sur mon visage et le vent s'acharnait sur mes vêtements. La nuit restait désespérément noire. La neige se mêlait à mes larmes brûlantes. Je n'en pouvais plus, je me sentais anéanti. Cette fois c'était fini ; j'avais atteint mes limites. J'avais besoin que quelqu'un me vienne en aide, absolument. Cette fois la tempête et les ténèbres allaient avoir raison de moi, elles allaient m'engloutir car je n'avais plus la force de résister. Je versais des larmes sur tout ce gâchis, mais je pleurais surtout de n'avoir personne pour m'aider à traverser cette horrible nuit. Je laissai libre cours à ma colère, à ma souffrance. Je n'avais plus le courage de continuer, j'étais au bout du rouleau.

– Au secours !!!

Le hurlement monta dans la nuit, immédiatement englouti par le vent et la neige.

Je crus que des éclairs éclataient dans ma tête, comme lorsque j'étais tombé dans la crevasse. Mais non ! Une lumière rouge et verte brillait, là-bas, palpitant dans l'obscurité. Devant moi flottait un objet rougeoyant, une forme arrondie avec des reflets colorés, qui restait suspendue dans la nuit.

– Une soucoupe volante ? Je dois être bien bas... J'ai des visions, maintenant...

Puis j'entendis des sons étouffés, des expressions de surprise ensommeillées, des clignotements scintillants. Un large rai lumineux, d'un jaune brillant, trancha soudain sur la lueur colorée. Encore des bruits, des voix, pas les miennes, cette fois, d'autres voix.

– Les tentes ! Ils sont toujours là...

Cette constatation me coupa le souffle. J'en tombai du rocher sur lequel j'étais assis et m'étalai sur les cailloux. Des élancements douloureux me parcoururent la cuisse et je ne pus m'empêcher de gémir. En quelques secondes toute mon énergie m'avait quitté, je n'étais plus qu'une chiffe molle, un pantin pleurnichard, incapable de faire le moindre geste. La force qui m'avait soutenu jusque-là, qui avait maintenu en moi une étincelle de vie, s'était évanouie dans la tempête. Je n'arrivais même plus à lever la tête pour regarder les lumières.

– Joe, c'est toi, Joe !

Simon appelait, d'une voix angoissée. J'ouvris la bouche pour lui répondre, mais aucun son ne franchit mes lèvres. Je sanglotais convulsivement, la poitrine secouée de spasmes, crachant, reniflant. Quelqu'un grommela des paroles indistinctes. Je tournai la tête dans cette direction. Une lumière dansait en tous sens, s'approchant rapidement. Un bruit de pas raclant les cailloux, puis une voix affolée :

– Par ici, par ici !

Et la lumière tomba sur moi, m'aveuglant.

– Au secours... Aidez-moi.

Des bras puissants me saisirent, me soulevèrent, et le visage de Simon m'apparut soudain.

– Joe ! Oh bon Dieu ! Mais bordel, putain, regarde ça. Merde, Richard, soutiens-le. Relève-le, relève-le, espèce de con ! Oh ! bon Dieu Joe, mais comment ? Comment ?...

Le choc était si fort qu'il répétait des mots sans suite, dévidant une litanie de jurons, des grossièretés sans queue ni tête qui lui venaient spontanément à la bouche. Richard tourniquait, nerveux, inquiet à l'idée de me faire mal.

– Je meurs... Je n'en peux plus. C'est trop... c'est trop... cru que c'était fini... S'il vous plaît, aidez-moi... Pour l'amour de Dieu, aidez-moi...

– Ça va aller. Je t'ai récupéré, maintenant ; tu es sauvé...

Puis Simon me souleva en me tenant sous les bras, me tira, et mes talons ricochaient sur les pierres. Il me lâcha lourdement à l'entrée de la tente, doucement éclairée de l'intérieur par une bougie. En levant les yeux je rencontrai le regard de Richard ; il me fixait avec appréhension. Tout ce tohu-bohu me donnait envie de rire, mais seules les larmes continuaient à couler, intarissables, je n'arrivais pas à prononcer une seule parole. Simon me tira à l'intérieur de la tente et m'allongea doucement sur un paquet de sacs de couchage douillets. Il s'était agenouillé auprès de moi ; ses yeux traduisaient son désarroi, j'y lisais à la fois de la pitié, de l'horreur et de l'inquiétude. Je lui adressai un sourire, et il y répondit, hochant lentement la tête.

– Merci, Simon, tu as bien fait.

Il détourna rapidement les yeux.

– Merci quand même.

Il opina sans un mot.

La bougie répandait une chaude lumière. Mes compagnons semblaient planer au-dessus de moi et des ombres dansaient sur les parois de la tente. Une immense fatigue drainait mes dernières forces. Je gisais, immobile, je sentais sous mon dos la chaleur des duvets. Des visages se penchaient sur moi, deux visages ; ils apparaissaient et disparaissaient à nouveau, en un ballet désordonné qui me faisait tourner la tête. Richard me mit une tasse de thé dans la main.

Du thé ! Du thé chaud ! Je n'avais même pas la force de tenir la tasse.

Simon m'aida à m'asseoir et me fit boire. Penché sur le réchaud, Richard préparait du porridge. Il remuait d'une main, versant du sucre de l'autre. On me donna encore du thé, mais je fus incapable d'avaler le porridge. Une extrême tension se lisait sur le visage hagard de Simon. Pendant un long moment aucun de nous ne parla. Je reconnaissais cette expression au fond des yeux de Simon ; là-haut sur l'arête, il m'avait observé de la même façon, avec ce regard un peu trop appuyé. J'avais alors senti que j'étais condamné, et qu'il en prenait son parti. Mais ce fut une impression fugitive, déjà un torrent de questions déferlait. Nous parlions en même temps, sans prendre le temps de répondre. Après le regard que nous venions d'échanger, toute question était devenue inutile, toute réponse superflue. Je lui racontai la crevasse, et ma lente progression. Il me parla du cauchemar qu'il avait vécu, de sa descente le lendemain de cette terrible nuit, il me dit comment il avait fini par être persuadé que j'étais mort. Il s'arrêta et me regarda, interloqué, comme s'il n'arrivait pas à se mettre dans la tête que j'étais bien revenu. Je souris et lui touchai la main.

– Merci.

Je n'arrivais pas en dire plus, aucun mot ne pouvait traduire ce que je ressentais.

Il parut embarrassé et changea de sujet :

– J'ai brûlé tes vêtements !

– Quoi ?

– Je ne pensais pas que tu...

Il éclata de rire en voyant mon expression, et je me mis à rire aussi. Mais ce brusque accès de bonne humeur dura trop longtemps, et notre rire, rauque et saccadé, sonnait faux.

Les heures passaient sans que nous y prenions garde, la tente bourdonnait de nos récits, entrecoupés de rires lorsqu'ils racontèrent leur quête de l'argent, ou la triste fin de mes vêtements. Une atmosphère de profonde amitié régnait maintenant, qui transparaissait à travers chaque geste, chaque regard. Nous nous livrions tout entiers à une intimité que nous n'avions jamais osé montrer auparavant, et que nous ne nous permettrions plus jamais. Cela me rappelait d'autres instants où, là-haut, dans la tempête, nous avions cru jouer un rôle dans un mauvais film de série B. Simon me força à ingurgiter le porridge tandis que Richard préparait des sandwiches aux œufs. On me faisait avaler des tasses et des tasses de thé, et des médicaments avec presque chaque gorgée ! J'eus ainsi droit à toute la pharmacopée : pilules contre la douleur, Ronicol, antibiotiques. Je grignotais un sandwich du bout des dents, incapable d'avaler le pain.

– Mange ! me dit Simon d'un ton sans réplique.

Des miettes de pain s'étaient coincées dans ma gorge, me faisant tousser. Je mâchais consciencieusement, mais rien à faire, ça ne passait pas. En désespoir de cause, je recrachai la bouchée.

– Bon, si on regardait ta jambe.

Il avait repris les choses en mains. Je n'eus pas le temps de protester. Il était déjà en train de découper mon surpantalon. La lame entama le tissu. Je remarquai la poignée du couteau ; une poignée rouge. Mon couteau. Celui dont il s'était servi, trois jours et demi plus tôt... À cette pensée une bouffée d'angoisse m'étreignit. Je ne voulais plus souffrir. Pas maintenant.

Je voulais me perdre dans le sommeil, dans cette douce chaleur. Il souleva ma jambe pour retirer le pantalon. Il sentit que je me crispais.

– Ne t'inquiète pas. Je vais y aller doucement.

Mon regard se porta sur Richard. Il n'avait pas l'air d'être dans son assiette. Je lui souris, mais il se retourna et se mit à s'activer près du réchaud. J'allais enfin voir la cause de mes souffrances ; pourtant je ne pouvais me débarrasser d'une certaine appréhension. J'avais peur de découvrir que ma jambe s'était infectée. Simon défit les lacets de mes guêtres et descendit doucement la fermeture à glissière.

– Richard, peux-tu lui maintenir la jambe pendant que je retire sa chaussure ?

Richard hésita.

– Tu ne peux pas la couper ?

– Sans doute, mais ce n'est pas nécessaire. Allez, viens. Il y en a pour une seconde.

Il s'approcha sans enthousiasme et posa les mains sur ma jambe.

Simon commença à tirer sur la chaussure et je poussai un hurlement.

– Mais tiens-le fort, bon sang !

Il se remit à tirer et la douleur me laboura la jambe. Je fermai les yeux en gémissant tandis qu'un fer rougi à blanc me fouaillait les chairs. Je le suppliai d'arrêter.

– Ça va, je l'ai eue.

La douleur s'estompa rapidement. Simon lança la chaussure hors de la tente et Richard relâcha son étreinte. Il avait dû fermer les yeux pendant toute l'opération.

Simon fit doucement glisser mon épais pantalon en fourrure polaire. Richard était reparti s'installer tout au fond de la tente. Je me redressai, impatient maintenant de savoir. Il fallut encore retirer mes caleçons longs et ma jambe apparut.

– Nom de Dieu !

– Bon sang, elle est énorme !

La jambe, boursouflée, d'une vilaine couleur jaune sale, s'ornait en dessous du genou de marbrures violacées, livides. Elle était de la même grosseur de la cuisse à la cheville. Seul l'emplacement du genou était marqué par une énorme excroissance, grotesquement distordue vers la droite.

– C'est pire que ce que je pensais !

J'avais pâli à la vue de ma jambe. Penché en avant, je palpai doucement mon genou. Par chance, on ne distinguait aucune trace d'inflammation anormale ni d'infection.

– C'est pas très joli, murmura Simon.

Il examinait mon pied.

– Tu t'es cassé le talon, apparemment.

– Ah bon ?

Cette nouvelle me laissait complètement indifférent. J'étais arrivé, j'étais sain et sauf, je pouvais me reposer, manger, dormir. Les blessures guériraient plus tard.

– Tu vois ces traces violettes ? Ce sont des hémorragies. Il y en a aussi autour du talon et de la cheville.

Je me tournai vers Richard.

– Viens voir ça.

Il jeta un coup d'œil par-dessus mon épaule et se rejeta aussitôt en arrière.

– Ooohhh ! Je n'aurais pas dû regarder !

J'éclatai d'un rire joyeux. Un rapide changement était intervenu en moi. J'avais retrouvé un certain calme. Simon remonta délicatement mon pantalon, une expression inquiète sur le visage.

– Il va falloir te sortir d'ici le plus vite possible. Spinoza doit monter ce matin avec les ânes. L'un de nous va descendre tout de suite et lui demander d'amener aussi une mule avec une selle.

– Je peux y aller, dit Richard. Il est quatre heures et demie. J'irai dès que j'aurai fini mon thé. Comme ça, tu peux prendre mon sac de couchage et laisser le tien à Joe. Je serai de retour vers six heures...

Je lui coupai la parole.

– Eh ! Une minute. Il faut d'abord que je mange et que je me repose. Pas question de me taper deux jours de voyage à dos de mule dans l'immédiat.

– Il va bien le falloir, pourtant, affirma Simon. Tu n'as pas le choix. Nous mettrons au moins trois jours avant d'atteindre un hôpital. N'oublie pas que tu as aussi des gelures et que tu es épuisé. Si tu attends plus longtemps, tu risques une grave infection.

– Mais...

– Laisse tomber ! On part ce matin. D'ici que nous arrivions à Lima, une semaine complète se sera écoulée depuis ton accident. Il n'y a pas de temps à perdre.

Je n'avais même plus la force de résister, je me contentais de les regarder d'un air implorant, dans l'espoir que cela les ferait changer d'idée. Mais Simon fit celui qui ne voyait rien et se mit en devoir de fourrer mes jambes dans son sac de couchage. Richard me tendit une tasse de thé avec un sourire qui se voulait rassurant, puis il disparut dans la nuit. À travers un demi-sommeil, je l'entendis crier : « À bientôt ! ». Je luttais contre la somnolence, il me restait quelque chose d'important à faire avant de m'endormir, mais je n'arrivais pas à m'en souvenir. Soudain la lumière se fit dans mon esprit.

– Simon ?

– Oui ?

– Tu m'as sauvé la vie, tu sais. Ça a dû être terrible pour toi, cette nuit-là. Je ne t'en veux pas. Tu n'avais pas le choix. Je le comprends très bien, comme je comprends que tu aies pensé que j'étais mort. Tu as fait le maximum... Et merci de m'avoir redescendu jusque-là.

Il ne répondit pas ; je me tournai vers lui et je vis des larmes couler sur ses joues. Je me détournai tandis qu'il articulait :

– Honnêtement, j'ai pensé que tu étais mort. Cela paraissait tellement évident... Je ne voyais pas comment tu aurais pu en réchapper.

– Oui, je sais...

– Mon Dieu ! Je suis revenu tout seul... C'était insupportable. Tu comprends... Qu'est-ce que j'allais dire à tes parents ? Hein ? Désolé, madame Simpson, mais j'ai dû couper la corde... Elle n'aurait jamais compris, elle ne m'aurait jamais cru...

– Tout va bien. Tu n'as plus de souci à te faire, maintenant.

– Je m'en veux de ne pas être resté là-haut plus longtemps... Si seulement j'avais pensé que tu pouvais être encore en vie. Cela t'aurait épargné ce calvaire.

– N'y pense plus. Tout est rentré dans l'ordre ; c'est fini.

– Oui, murmura-t-il.

Et je sentis les larmes me monter aux yeux. Je ne pouvais qu'imaginer ce qu'il avait dû vivre. Une seconde plus tard, j'avais sombré dans le sommeil.

Je m'éveillai au son d'un brouhaha de voix et de rires. Près de la tente, des voix féminines bavardaient en espagnol avec animation. Puis j'entendis Simon qui discutait avec Richard à propos des ânes. J'ouvris lentement les yeux sur la douce lumière qui baignait l'intérieur de la tente. Le soleil jouait sur la toile rouge et verte, des ombres passaient et repassaient. On se serait cru en plein milieu d'un marché animé. Les événements de la nuit déferlaient dans mon esprit. Je suis sauvé, ce n'est pas un rêve. Encore tout somnolent, j'esquissai un sourire tout en caressant l'intérieur douillet du sac de couchage. Une sensation de bien-être m'envahit. De nouveau le sommeil me gagnait, tandis que je me répétais :

– C'était vraiment terrible, quel cauchemar.

Une heure plus tard, une voix me tira de cette douce torpeur, une voix lointaine qui m'appelait par mon nom. Qui pouvait bien m'appeler ainsi ? Je continuai à somnoler, mais la voix insistait :

– Allez Joe, réveille-toi.

Je tournai la tête. Des visages flous se profilaient dans l'entrée de la tente. Peu à peu, je distinguai Simon, agenouillé, une tasse de thé fumante à la main, et derrière lui deux jeunes filles qui me regardaient avec beaucoup de curiosité. Je tentai de m'asseoir, mais un énorme poids semblait m'écraser, me coller au sol. J'essayai de reprendre appui sur un bras, mais il retomba mollement. Je sentis qu'on m'attrapait par les épaules, qu'on m'aidait à m'asseoir :

– Bois ça et essaie de manger. Tu en as besoin.

Les mains serrées sur la tasse, je me penchai sur le liquide brûlant. Simon sortit, mais les jeunes filles, toujours assises à l'entrée de la tente, me regardaient boire mon thé, un large sourire sur le visage. Il y avait quelque chose d'irréel dans cette scène. Leurs grandes jupes paysannes et leurs chapeaux à fleurs paraissaient incongrus dans ce décor. Que faisaient-elles ici ? J'avais du mal à me concentrer, mon esprit battait la campagne. Je me sentais un peu perdu, ce matin. Je savais que j'étais sauvé, que je me trouvais au camp, Simon et Richard faisaient partie de mon univers, mais ces jeunes Péruviennes bizarrement accoutrées me paraissaient déplacées. Je décidai donc de les ignorer et de porter toute mon attention sur mon thé. La première gorgée me brûla le palais. Avec mes doigts gelés et insensibles, je n'avais pas remarqué que ma tasse était si chaude. Je recrachai précipitamment le liquide bouillant, ce qui amusa beaucoup les jeunes filles. Dans la demi-heure qui suivit, nourritures et boissons de toutes sortes défilèrent devant moi à une cadence accélérée, assorties d'encouragements divers, de bribes d'information sur le déroulement des opérations. Spinoza ne voulait pas démordre du prix qu'il avait fixé. Il s'ensuivit une discussion des plus animées. Le ton montait, Simon s'énervant de plus en plus tandis que Richard, flegmatique, traduisait ses paroles. De temps en temps, les jeunes filles se retournaient vers Simon et le regardaient en fronçant les sourcils. Puis elles disparurent brusquement. Je n'avais plus besoin de rester éveillé, je me laissai emporter par le sommeil, bercé par la dispute. Une main me secoua. C'était Simon :

– Il faut que tu sortes de la tente, maintenant. Nous devons terminer les préparatifs. Nous sommes enfin tombés d'accord sur un prix, et s'il change encore d'idée, je lui flanque mon poing sur la figure !

J'essayai de me traîner hors de la tente, sans succès. Mon bras se déroba sous moi et je m'affalai de côté, incapable de me relever. Cette manifestation de faiblesse m'effraya. Simon me tira doucement un peu plus loin, à l'ombre d'un rocher.

– Simon, je ne vais jamais pouvoir tenir sur une mule. Tu ne te rends pas compte à quel point je suis faible !

– Ne t'inquiète pas, nous t'aiderons.

– M'aider ! C'est à peine si je peux rester éveillé, alors tu penses, me tenir assis ! Comment peux-tu m'aider à chevaucher une mule, bon sang ! J'ai besoin de me reposer, de reprendre des forces. Vraiment. J'ai besoin de dormir, de manger. Depuis mon arrivée, c'est à peine si j'ai pu dormir trois heures... J'ai...

– Tu n'as pas le choix. Tu pars aujourd'hui, c'est comme ça.

Mes protestations n'eurent aucun effet. Il alla chercher la boîte à pharmacie dans la tente. Richard me tendit une autre tasse de thé tandis que Simon revenait avec ma ration de pilules. Puis ils commencèrent à démonter le camp. Étendu sur le côté, je les regardais aller et venir jusqu'à ce que je sois vaincu de nouveau par une insidieuse somnolence. L'état de détérioration dans lequel je me trouvais m'inquiétait terriblement. Est-ce que je n'avais pas brûlé toutes mes réserves, épuisé toutes les ressources de mon organisme ? Après tout, je me trouvais peut-être plus près de la mort que jamais. Depuis que je m'étais abandonné entre leurs mains, la force qui m'avait soutenu jusque-là m'avait quitté. Je me sentais vidé de toute énergie, que ce soit pour décider de mon sort ou pour ramper ! Car je n'avais plus besoin de lutter, de m'imposer une séquence de mouvements, et la *voix* ne m'accompagnait plus. Privé de ces ressorts, j'allais peut-être cesser de vivre... Inquiet, je me forçais à rester éveillé, à garder les yeux ouverts, mais cette fois encore je perdis la bataille. Je glissai dans le sommeil pour m'éveiller un peu plus tard au son d'une âpre discussion où voisinaient anglais et espagnol ; puis la somnolence s'empara de moi à nouveau malgré mes frayeurs, qui me parlaient de coma, d'évanouissement, de sommeil sans retour.

Après un temps qui me parut particulièrement long, Simon revint vers moi. Je l'entendis parler à Richard et je levai les yeux. Il était planté à côté de moi et me regardait d'un air anxieux.

– Comment te sens-tu ?

– Bien, ça va.

Toute idée de révolte contre ce départ hâtif m'avait abandonné.

– Tu n'as pas l'air. Nous allons bientôt partir, il vaudrait peut-être mieux que tu t'assoies et que tu essaies de refaire surface. Je vais t'apporter un peu de thé.

Je ris à cette notion de « refaire surface », mais je réussis tout de même à m'asseoir sans aide. Finalement Spinoza arriva avec sa vieille mule et Simon m'aida à me lever. Appuyé sur son épaule, je sautillai vers l'animal qui attendait sagement. Elle avait l'air d'une bête tranquille, d'un bon naturel, ce qui me redonna un peu de courage. Alors qu'ils s'apprêtaient à me soulever pour me mettre en selle, Richard s'exclama soudain :

– Attends ! Simon ! On oublie son argent !

Une recherche épique commença. Soutenu par Richard et Simon je me promenai, clopin-clopant, de rocher en rocher, essayant de rassembler mes souvenirs pour retrouver l'endroit où j'avais bien pu cacher la ceinture qui contenait mon argent. Spinoza et les deux jeunes filles suivaient notre quête, interloqués. Je finis par dénicher l'argent, ce qui donna lieu à de bruyantes démonstrations de joie. Richard exhiba l'objet de nos convoitises ; ils se contentèrent de sourire poliment. Manifestement, ils ne comprenaient pas que l'on puisse manifester un tel intérêt pour une vieille ceinture.

La mule était harnachée d'une selle superbe, une véritable pièce de musée dans le plus pur style western, avec un pommeau surélevé orné d'incrustations d'argent et de profonds étriers en cuir repoussé. On l'avait en partie recouverte d'un karrimat, qui servirait à la fois de coussin et de support pour ma jambe. Enfin notre marche de retour commença, lentement. Nous longions un petit torrent, Simon et Richard m'encadraient et ne me quittaient pas de l'œil.

Les deux jours suivants s'écoulèrent dans un brouillard confus. Je devais lutter contre une extrême fatigue et une douleur omniprésente. Comme il m'était impossible de serrer les flancs de la mule pour la diriger, elle divaguait à son gré et prenait un malin plaisir à se frotter contre chaque rocher, chaque arbre, chaque muret que nous rencontrions. Simon tentait de la diriger avec un pieu à neige pointu, mais elle continuait obstinément à heurter ma jambe contre tous les obstacles qui se présentaient et je ne pouvais que gémir, et crier, en attendant que la douleur diminue. Je réussis pourtant à ne pas tomber. Le paysage défilait sans accrocher mes regards, perdu comme je l'étais dans des abîmes de souffrance et d'épuisement.

À la fin de chaque journée des colères enfantines me submergeaient. J'étais à bout de forces et de désespoir, ce calvaire me devenait intolérable. Une idée fixe me taraudait: en finir au plus vite et rentrer chez moi. Simon me dorlotait, allant et venant le long de la piste, il exhortait le conducteur des ânes à accélérer l'allure, adjurait celui qui s'occupait de ma mule de faire attention. Il marchait à mes côtés la plupart du temps, toujours prêt à soutenir mes défaillances. Notre progression était entrecoupée d'arrêts fréquents, consacrés pour l'essentiel à la prise de médicaments, accompagnés de l'inévitable cérémonie du thé. Autour de moi on s'activait, on s'énervait, tandis que je dérivais à mi-chemin entre la veille et la somnolence et que ma mule avançait opiniâtrement, franchissant des cols élevés, longeant des vallées encaissées, traversant des pampas luxuriantes. Pendant tout ce temps Simon resta auprès de moi, me répétant des encouragements quand je demandais grâce.

Dès notre arrivée à Cajatambo, Simon se trouva aux prises avec de multiples problèmes. Il eut des démêlés avec la police locale et dut faire des pieds et des mains pour dénicher une camionnette – à la suite de quoi Richard et lui furent obligés de se battre contre une meute de villageois qui pensaient profiter de l'aubaine pour se faire emmener gratuitement jusqu'à Lima. Au dernier moment, un jeune homme s'approcha. J'étais étendu sur un matelas, sur la plate-forme de la camionnette. Il examina l'attelle de fortune qui maintenait ma jambe et me regarda d'un air navré. À ce moment-là, un policier, fusil en bandoulière, s'approcha et empêcha Richard de déloger le dernier occupant.

– *Señor,* s'il vous plaît d'aider cet homme. Ses jambes, mauvaises. Lui attend six jours. Vous, l'emmener à l'hôpital... Oui ?

Un silence de mort planait sur l'assistance tandis que nous nous tournions vers un vieil homme, allongé non loin de moi. Il me regardait d'un air implorant. Grimaçant de douleur, il esquissa un mouvement de côté et souleva la grosse toile qui recouvrait ses jambes. Simon eut un hoquet de surprise. Les jambes de l'homme étaient en bouillie. J'entr'aperçus de profondes blessures sanguinolentes, à vif, et une rougeur suspecte sur la peau. Alors qu'il replaçait la toile une odeur douceâtre nous monta aux narines.

– Mon Dieu !

J'avais mal au cœur.

– Lui malade. Oui ?

– Malade ! Il n'a aucune chance de s'en sortir !

– Désolé... anglais pas bon.

Je le coupai.

– D'accord, on les emmène tous les deux.

– Merci *Señores*. Vous êtes bons.

Le conducteur, un ivrogne invétéré, passait son temps à nous offrir de la bière, ce qui, ajouté aux cigarettes et aux médicaments, me mit dans un état second. Il ne me reste d'ailleurs de ces trois jours de voyage qu'un souvenir des plus flous.

Lorsque le camion se gara enfin devant l'hôpital, on nous dit que le vieil homme ne pouvait s'offrir un établissement de cette qualité, aussi Simon donna un généreux pourboire au chauffeur, lui demandant d'emmener le blessé là où il le désirait, puis il donna à son fils tous les médicaments qui nous restaient. Richard m'aida à m'installer dans une chaise roulante. La camionnette démarra et, tandis qu'elle s'enfonçait dans la touffeur nocturne de Lima, je vis le vieil homme agiter faiblement la main dans notre direction.

À nos yeux d'occidentaux, l'hôpital paraissait affreusement vétuste, pourtant des haut-parleurs diffusaient de la musique, les draps étaient immaculés et les infirmières charmantes, même si elles ne parlaient pas un traître mot d'anglais. Elles me convoyèrent à travers des couloirs vert et blanc. Simon leur avait emboîté le pas ; après notre incroyable aventure, il se sentait manifestement responsable de moi.

Mais on finit par congédier mes compagnons et l'on m'emmena en salle de radio. Après m'avoir dépouillé de mes vêtements, une infirmière prit mon pouls, me fit une prise de sang et me pesa. Je regardai la balance, stupéfait : quarante-six kilos ! J'avais perdu pratiquement vingt kilos... L'infirmière me sourit gentiment puis m'aida à me lever de la chaise pour me plonger dans un bain chaud et désinfectant. Quand tous ces soins furent terminés, on me mit au lit et je m'endormis immédiatement. Une heure plus tard, la gentille infirmière était de retour, accompagnée cette fois d'un médecin à l'air soucieux. Il se lança dans une explication complexe à propos de mon analyse sanguine qui semblait l'inquiéter, pendant que l'infirmière installait une perfusion. Un peu plus tard, je me réveillai en hurlant, en plein milieu d'un terrible cauchemar. Les infirmières vinrent me réconforter avec beaucoup de sollicitude. Bercé par des paroles que je ne comprenais pas, je finis par me calmer.

Je restai cloué dans ce lit pendant deux jours indescriptibles, sans manger, sans antibiotiques ni analgésiques, attendant qu'un télex vienne confirmer que j'étais bien couvert par une assurance. Alors seulement on daigna m'opérer. On vint me chercher en début de matinée, après qu'une injection m'eût plongé dans une agréable torpeur, un état auquel je commençais à être habitué. Deux individus portant des masques et des blouses vertes me véhiculèrent à travers d'interminables corridors ; comme dans un brouillard, j'entendais un bourdonnement confus de voix. Ce n'est qu'en approchant de la salle d'opération que je réagis. Mon estomac se contracta et la panique m'envahit. Il faut les en empêcher ! Mon Dieu, ne pas les laisser faire, attendre d'être à la maison !

– Je ne veux pas qu'on m'opère.

J'avais prononcé ces mots très calmement, et je pensais avoir été clair. Pourtant je ne reçus aucune réponse. Est-ce que les médicaments avaient affecté ma parole ? Je répétai la phrase, lentement. L'un d'eux fit un signe de tête, mais ils ne s'arrêtèrent pas pour autant. Ils ne devaient pas comprendre l'anglais. J'essayai de me redresser, mais une main ferme me repoussa sur mes oreillers. Pris de panique, je leur criai d'arrêter. Le chariot heurta les portes de la salle d'opération. Quelqu'un s'adressait à moi en espagnol, d'une voix chantante. Il essayait de me calmer, mais à la vue de la seringue qu'il tenait à la main, je me débattis violemment.

– S'il vous plaît, je ne...

Je sentis une forte poigne me maintenir, et l'aiguille s'enfonça dans mon bras. J'essayai malgré tout de lever la tête, mais elle pesait des tonnes. Du coin de l'œil j'aperçus un plateau couvert d'instruments de chirurgie. De violentes lumières m'aveuglèrent et la pièce se mit à tourner. Il fallait à tout prix que je leur dise... que je les arrête. Un voile sombre obscurcit les lumières, les bruits s'étouffèrent doucement et le silence tomba.

ÉPILOGUE

Juin 1987. Vallée du Hunza, Karakoram, Pakistan.

Je regardais les petites silhouettes s'éloigner. Déjà elles n'étaient plus que deux points minuscules au flanc de la colline. Andy et Jon partaient à l'assaut du Tupodam, un sommet vierge de six mille et quelques mètres, et je me retrouvais seul dans la montagne. Mais cette fois, c'était de mon propre gré.

Je me retournai pour surveiller le réchaud où chauffait une tasse de café. Ce simple mouvement de rotation avait déclenché une douleur dans mon genou. Je lâchai un juron et me penchai pour masser l'articulation sensible. L'arthrite. Les cicatrices d'une demi-douzaine d'opérations zébraient mon genou. Mon aventure avait heureusement laissé des traces plus discrètes dans mon esprit.

Les médecins m'avaient prévenu que je souffrirais d'arthrite. Ils avaient ajouté qu'il faudrait m'opérer d'ici une dizaine d'années pour remplacer l'articulation. Ils avaient dit beaucoup de choses, d'ailleurs, dont certaines totalement fausses. « Vous ne pourrez plus plier le genou, Monsieur Simpson... Vous boiterez pour la vie... vous ne grimperez plus. »

En revanche, ils ne s'étaient pas trompés au sujet

de l'arthrite. J'éteignis le réchaud et jetai un coup d'œil inquiet vers la montagne. Déjà l'angoisse m'étreignait. Revenez sains et saufs. Je vous en conjure. J'adressai une muette supplique aux pentes vides. Si le beau temps se maintenait, ils seraient de retour dans trois jours. Une longue attente commençait.

J'avais dû abandonner toute idée d'atteindre le sommet, et ce renoncement me pesait. Pourtant tout s'était bien passé, au début. Et puis ma jambe avait commencé à me faire souffrir. J'avais parfaitement conscience qu'en m'embarquant dans cette expédition dix semaines seulement après ma dernière opération, j'allais au-devant d'ennuis, mais je ne regrettais rien. L'année prochaine, une autre chance s'offrirait à moi.

Six jours plus tôt nous avions atteint le col, sous l'épaulement de la montagne, et nous avions creusé une grotte dans la neige. Assis devant l'entrée, nous avions admiré en silence le déferlement des sommets alentour. Un soleil implacable brillait dans le ciel limpide et les montagnes se découpaient admirablement dans cet air pur comme du cristal. C'était cela que j'étais venu chercher ici. Éthérées, virginales, les cimes aériennes s'élançaient vers le ciel. Les cristaux de neige scintillaient comme des diamants. Le Karun Koh s'élevait en face de nous, à quelques kilomètres à peine. J'imaginais qu'au-delà des pics qui se déroulaient à l'infini, je pouvais voir la forme concave de la terre et l'Everest, qui se trouvait pourtant à près de mille six cents kilomètres d'ici. Des noms prestigieux me traversaient l'esprit : l'Indu Kush, le Pamir, le Tibet, le Karakoram, et puis l'Everest, la grande déesse des neiges, la Nanda Devi, le K2, le Nanga Parbat, le Kangchenjunga, des noms chargés d'histoire. Et se présentaient aussi à ma mémoire tous ceux qui s'y étaient attaqués. Ils prenaient ici une dimension nouvelle, une épaisseur que je n'aurais jamais ressentie avec autant d'intensité si j'avais décidé de ne pas revenir. Quelque part dans cet océan de montagnes reposaient les corps de deux amis ensevelis dans la neige, seuls, à des kilomètres l'un de l'autre. C'était la face cachée de ce superbe décor, une réalité que je préférais occulter pour l'instant.

Je bouclai les lanières de mon sac, enfilai les bretelles et, après un dernier coup d'œil en arrière, entamai la descente sur le camp de base.

Mauvais souvenirs

En ce mois de juillet 2002, je me tenais à l'endroit exact où Simon Yates m'avait trouvé dix-sept ans plus tôt, en pleine nuit, dans une tempête de neige. Je pesais alors moins de cinquante kilos, souffrais d'acidocétose et j'étais quasiment dans le coma. Physiquement et psychologiquement, je me trouvais dans un état de délabrement et d'épuisement extrêmes. D'après les médecins à qui j'en ai parlé, j'étais sur le point de mourir quand Simon est arrivé.

Après tant d'années, devant l'objectif et le micro braqués dans ma direction, le malaise m'envahissait. Je sentais que le cameraman, le réalisateur et le preneur de son m'observaient attentivement. À côté de moi, Simon racontait comment il m'avait découvert, décrivait mon état et la façon dont je gisais au milieu des rochers.

Ces paroles me parvenaient de très loin. Mon cœur s'est mis à battre à un rythme accéléré tandis que les montagnes alentour m'oppressaient soudain, me causant une désagréable sensation d'écrasement. Une vague de chaleur m'a parcouru le corps, m'inondant de sueur. J'ai bougé un peu, espérant que la caméra n'était pas en train de filmer ces manifestations d'angoisse.

Je me sentais étrangement vulnérable, comme si quelque chose s'apprêtait à fondre sur moi. Et plus j'y pensais, plus cela empirait. Une question m'est parvenue à travers une sorte de brouillard. Le sang battait violemment contre mes tempes. J'ai ouvert la bouche, retenant une furieuse envie de pleurer. J'étais bien déterminé à ne pas tomber dans l'interview larmoyante, et voilà que j'étais pris au piège. Je me suis entendu parler de cet instant où, alors que Simon et Richard me cherchaient dans le noir, j'avais aperçu la lueur de leurs lampes frontales. Et du bonheur qui m'avait envahi lorsque j'avais réalisé que le cauchemar était fini et que la vie m'était rendue.

J'ai regardé l'endroit où ils m'avaient trouvé, le visage contre les rochers, puis j'ai suivi du regard le lit de la rivière encombré d'un chaos de blocs – *bon sang, mais comment ai-je pu descendre tout ça en pleine nuit ?*

À cette idée, ma panique a redoublé. Je ne suis pas sûr de m'être arrêté de parler, mais pendant un long moment, en regardant le sol, j'ai réellement éprouvé la sensation étrange d'être là, affalé sur ces rochers, de sentir Simon m'attraper par les épaules et me serrer contre lui. J'ai même failli me retourner pour voir qui avait posé ses mains sur mes épaules.

C'était comme si mon cerveau était la proie d'une hallucination. Comme si un court-circuit dans les synapses avait brutalement fait exploser à la surface des couleurs, des sentiments et des sensations enfouis depuis longtemps dans les méandres de ma mémoire. Cela a duré peut-être quelques millièmes de seconde, qui m'ont paru des minutes. Puis tout est redevenu normal, me laissant complètement déboussolé.

Avec Simon, je suis retourné à l'endroit où l'équipe du film avait reconstitué le décor familier de notre camp. Simon avait dû remarquer quelque chose car il m'a demandé si je me sentais bien. Ma réponse a été laconique : « Non, pas vraiment. » J'avais envie de partir en courant. Je me suis assis et j'ai tenté de me calmer. En apparence j'avais l'air normal, pourtant j'étais au bord de la crise de nerfs.

De retour au vaste camp de base installé un plus bas dans la vallée, à une vingtaine de minutes de marche, j'ai commencé à me sentir mieux. Je me suis retiré dans ma tente, j'ai versé une rasade de whisky dans une tasse en métal et allumé une cigarette. *T'en fais pas, Joe, c'est juste une crise de panique. C'est normal.*

En réalité, cette sensation étrange allait me submerger à plusieurs reprises au cours des trois semaines suivantes. Avec moins de violence peut-être, parce que je me préparais désormais à ces crises. Les sentant venir, je me répétais que c'était mon subconscient qui me jouait des tours et que cela passerait si j'y mettais du mien.

Pourtant, au cours des quatre longues journées qui avaient été nécessaires à notre expédition, forte de soixante-seize mulets et de quatorze personnes — équipe du film, guides et porteurs —, pour rejoindre le camp, jamais je n'avais ressenti la moindre crainte à l'idée de me retrouver à cet endroit. En fait, tout cela m'avait semblé un peu ridicule. S'habiller dans le style des années quatre-vingt pour rejouer notre marche d'approche avec quatre mulets récalcitrants et le docteur de l'équipe déguisé en Richard Hawking tenait autant de la farce que de l'ennuyeuse répétition. Nous avancions lentement devant la caméra puis devions courir après les *burros* qui n'y comprenaient rien et les ramener en arrière pour une autre prise.

« Marchez en direction de la caméra dès que vous aurez atteint les lupins. » L' instruction avait crépité dans la radio et nous avions tourné la tête vers l'arête où la caméra avait été installée dans une petite brèche. L'objectif de 600 mm était fixé sur nous. J'avais alors examiné la vallée encaissée que nous allions traverser. Depuis une crête déchiquetée, les pentes abruptes se précipitaient jusqu'au filet argenté d'une rivière qui serpentait plus bas. La montagne était couverte de lupins...

Lorsque j'avais aperçu les sommets enneigés qui dominent la vallée, bien au-dessus du village de Huayllapa, j'avais éprouvé le sentiment agréable de retrouver de vieux amis. Caparaçonnés de glace, le Rasac et le Yerupaja surplombaient le haut de la vallée. Je les avais considérés avec intérêt, sans appréhension. J'avais oublié à quel point ces montagnes étaient belles. Après avoir grimpé pendant vingt ans dans toutes les montagnes du monde, il me fallait bien admettre que la Cordillère Huayhuash était incontestablement le plus beau massif que j'aie jamais vu. Cela m'avait fait sourire.

Puis la face ouest du Siula Grande était apparue et un frisson m'avait parcouru. Elle était plus vaste et menaçante que dans mon souvenir. Je devais être bien téméraire à l'époque, drôlement ambitieux et sans doute un peu fou pour avoir osé me lancer dans une telle entreprise... J'avais suivi des yeux la ligne de notre ascension et la peur m'avait pris en regardant les écharpes de neige que le vent soulevait, sur l'arête nord. Où donc étaient passées cette motivation et cette passion à toute épreuve ? Comment avais-je perdu ce sentiment d'invincibilité, cette confiance inébranlable de la jeunesse qui déborde de testostérone et manque d'imagination ?

Me détournant de la paroi, j'avais entamé la pénible montée le long des moraines du glacier en pensant, pour me consoler, qu'à défaut, j'étais toujours vivant. J'avais quelques cheveux gris sur les tempes et un soupçon de sagesse en plus, mais j'étais vivant.

Les jours se sont succédé, à rejouer pour la caméra ma lente progression sur le glacier et les moraines, comme dans un mauvais rêve. J'avais beau savoir que le film serait monté avec des scènes d'action tournées par des acteurs dans les Alpes, et qu'au final on ne verrait pas mon visage, je trouvais odieusement agaçant de devoir revêtir ma tenue de l'époque, enrouler le karrimat jaune autour de ma jambe droite et faire semblant de ramper et de sauter à cloche-pied comme je l'avais fait dix-sept ans plus tôt. Je n'arrêtais pas de ruminer : *mais pourquoi n'ont-ils pas embauché un acteur pour ça ?*

J'avais en permanence l'impression qu'une présence menaçante était à l'affût derrière moi et ce sentiment s'amplifiait encore dès que je me retrouvais dans les moraines ou sur le glacier, avec la vision familière du cirque de montagnes qui me cernait. Ce souvenir, je l'avais refoulé au plus profond de moi. Revoir ce paysage après tant d'années avait soudain ranimé mes fantômes. Ici, au milieu de ces sommets et de ces arêtes, j'avais réalisé que j'allais mourir. Jamais je n'aurais dû revenir. Cela n'avait rien d'une catharsis. C'était tout simplement terrifiant.

Aussi étonnant que cela puisse paraître, ni Simon ni moi n'avons parlé vraiment de nos sentiments. Cette histoire a tant fait couler d'encre et de salive. Au fond, tout a été dit. Cela ne servait donc à rien d'en parler. Qu'est-ce que cela aurait changé ? Nous savions mieux que personne ce qu'il s'était passé ici. L'affaire était réglée.

Dans ma tête pourtant, les souvenirs surgissaient, d'une clarté et d'une précision telles qu'il m'arrivait par instant de penser qu'il ne s'était pas écoulé dix-sept ans depuis. Je me trouvais à nouveau plongé dans la terrible réalité de 1985, dans l'obligation de ramper jusqu'au bas de la montagne.

Un jour, je me suis retrouvé seul dans une dépression sablonneuse encaissée entre les moraines et le versant de la vallée. Assis par terre, tout harnaché, la jambe prise dans le karrimat, j'attendais que l'équipe, installée sur une arête à plus d'un kilomètre de là, me donne des instructions par radio. Mon regard errait sur l'immense chaos rocheux qui s'étendait sur des kilomètres à la ronde. De nouveau, la panique m'a saisi. En 1985, je m'étais assis là, persuadé que Simon et Richard me suivaient. C'était bien sûr une hallucination, une bulle de réconfort dont je m'étais entouré et à laquelle j'avais fini par croire. Pas plus étonnant, somme toute, que les tours que me jouait aujourd'hui mon imagination.

Je me suis retourné, scrutant anxieusement l'arête pour tenter d'apercevoir quelqu'un. Mon cœur s'est mis à battre la chamade tandis que je haletais nerveusement. J'avais l'impression que j'allais éclater en sanglots. Puis j'ai distingué de petites silhouettes s'affairant autour de la caméra et j'ai essayé de me calmer. Le crépitement soudain d'une chute de pierres arrachant des geysers de poussière à la paroi a encore renforcé la sensation de menace omniprésente. C'était passé très près. J'ai jeté un coup d'œil vers l'arête. *Allez, bougez-vous, je veux ficher le camp d'ici*. Une seconde volée de pierres a ricoché dans ma direction. Instinctivement j'ai bondi en arrière. Quelques secondes plus tard, une onde de panique m'a submergé. Il fallait absolument que je file d'ici au plus vite. Au moment où je m'apprêtais à arracher le karrimat de ma jambe, la radio a soudain brisé le silence.

– Joe, ici Kevin, tu m'entends ?

J'ai fixé d'un air vague la poche d'où émergeait le récepteur radio, sur ma poitrine.

– Joe, Joe, tu m'entends ? Tu es prêt ?

– Kevin, ici Joe.

J'ai relâché le bouton en poussant un long soupir de soulagement.

– O.K. Joe, peux-tu ramper vers le goulet rocheux ? À toi. Quand tu veux.

Je n'ai pu réprimer un rire nerveux. C'était vraiment retourner le couteau dans la plaie. J'appréciais de moins en moins d'être revenu au Pérou.

Les expériences traumatisantes, les sentiments de culpabilité, de tristesse et de terreur font jouer des réseaux de neurones semblables à ceux qu'animent les peurs enracinées. Les progrès de la science ont permis de s'aventurer dans les recoins obscurs de la mémoire pour y débusquer nos angoisses primaires et l'on est en train de découvrir les moyens de se débarrasser de ses peurs et de ses inhibitions. Des tests sur des souris et des rats ont prouvé qu'il était possible de bloquer les réponses hormonales lorsque le cerveau est soumis à de tels souvenirs. Ce qui a pour effet de limiter les réactions. En un mot, les scientifiques ont trouvé le moyen d'empêcher la résurgence des peurs enfouies. Nos pires cauchemars et nos terreurs, réelles ou imaginaires, proviennent d'une zone du cortex appelée l'amygdale. À chaque nouveau traumatisme, ou lorsqu'on revit quelque chose, ce « centre de la peur » déclenche une réaction hormonale qui grave dans le cerveau ces sensations terrifiantes. L'insupportable devient inoubliable. Les recherches ont pour but d'aider les victimes à lutter contre le stress post-traumatique. Aux États-Unis, des tests d'administration de bêtabloquant (le propanolol) ont déjà été effectués à cette fin sur des êtres humains. Pour que le remède soit efficace, il faut prendre ces substances le plus rapidement possible après l'événement traumatisant.

Jusque-là, j'avais toujours fait preuve d'un certain scepticisme envers les prétendues réactions post-traumatiques. Il me semblait qu'il s'agissait d'une mode, d'un concept permettant de se disculper et d'obtenir des dommages et intérêts. Pourquoi, après la seconde guerre mondiale, les millions de soldats et de civils qui avaient été témoins de scènes effroyables, à un degré inimaginable, n'avaient-ils pas souffert de problèmes post-traumatiques ? Certes on a admis pendant la guerre que les commotions dues aux bombardements n'avaient rien à voir avec un manque de courage. Mais la différence ne vient-elle pas du fait que les gens ne vivaient pas comme aujourd'hui dans une société régie par la responsabilité et les indemnités ?

C'est pourquoi, à mon retour du Pérou, j'ai été surpris d'apprendre que je souffrais de stress post-traumatique. Apparemment, le souvenir de ces montagnes surplombant le glacier et les moraines s'était imprimé si fortement dans mon esprit que leur vue avait fait resurgir avec acuité mes terreurs de 1985. Comme si l'accident avait eu lieu quelques jours plus tôt.

On m'a expliqué que les effets se dissiperaient rapidement car je semblais avoir bien géré le traumatisme de l'accident au Siula Grande. On m'a malgré tout inscrit sur une liste d'attente pour un rendez-vous avec un psychothérapeute, ce qui m'a profondément troublé. J'avais toujours considéré avec un certain mépris la croyance typiquement nord-américaine en l'efficacité de la thérapie et autres conseils « psy ». L'attitude toute britannique qui consiste à aborder les choses avec flegme me semblait un remède bien plus efficace et autrement plus digne. De retour en Angleterre, j'ai pourtant dû admettre que je me sentais plutôt bizarre, si bien que j'ai fini par accepter ce rendez-vous à contrecœur.

Pendant deux mois, j'ai encore été sujet à de légères crises de panique, à de brusques envies de pleurer et à un sentiment persistant de vulnérabilité. Puis j'ai été invité à donner une conférence dans une entreprise et j'ai raconté mon histoire. Quelques jours plus tard, les symptômes avaient disparu. Et quand, au bout de six mois, on m'a appelé pour me proposer un rendez-vous, j'ai décliné, en une phrase bien sentie sur l'état déplorable du service de santé britannique. Je pouvais m'estimer heureux de ne pas souffrir d'un sérieux désordre mental.

Sans le vouloir, raconter encore et encore l'histoire de *La Mort suspendue* s'est trouvé être le meilleur traitement. Les psychothérapeutes utilisent régulièrement le procédé qui consiste à faire décrire aux victimes de traumatismes tout ce qu'elles ont vécu dans les moindres détails. Le fait d'exprimer les choses finit par transformer son expérience en une histoire qui serait arrivée à quelqu'un d'autre, permettant de prendre de la distance avec leur traumatisme. En gros, les connexions neuronales activées par l'amygdale se trouvent ainsi bloquées, ou tout au moins contournées.

Ce n'est pourtant pas sans appréhension que je me suis rendu dans une salle de cinéma de Soho pour assister à l'une des premières projections du film. J'étais heureux que tout cela soit enfin terminé et que le film ait été réalisé après plus de dix ans de négociations. Les droits avaient d'abord été vendus à une compagnie de production à laquelle étaient associés Sally Fields et Tom Cruise. Ce dernier aurait été la vedette de l'histoire, ce qui provoquait généralement l'hilarité des alpinistes à qui j'en parlais, et un certain nombre de plaisanteries à l'idée de voir Nicole Kidman jouer le rôle de Simon. J'étais conscient que si le film se faisait, ce serait sans doute l'une des âneries que produisent régulièrement les studios d'Hollywood. Heureusement, ils payaient bien... Mais quand l'affaire était tombée à l'eau et que les droits m'étaient revenus, j'avais été soulagé d'apprendre que Darlow Smithson, une compagnie tout à fait sérieuse spécialisée dans le documentaire dramatique, était intéressée. Avec en prime un metteur en scène de la trempe de Kevin Macdonald, qui avait reçu un oscar, je pouvais espérer qu'un bon film serait tiré du livre.

En entrant dans la salle, je n'avais strictement aucune idée de ce qui m'attendait. Je savais seulement que, hormis les semaines pénibles que j'avais vécues au Pérou, le tournage avait été particulièrement ardu et compliqué. Il était hélas si facile de faire un vrai gâchis à partir de cette histoire...

Une heure et demie plus tard, je regardais défiler le générique, partagé entre le plaisir et l'inquiétude. Le film était remarquablement fidèle au livre et, bien que je sois la dernière personne apte à en juger, je trouvais qu'il s'agissait là d'une réalisation sensible et remplie d'émotion. Mais par ailleurs, un malaise me tenaillait. Je n'avais pas réalisé jusque-là à quel point Simon et moi-même étions sur le devant de la scène. C'était nous, les véritables narrateurs, face à la caméra. Ni l'un ni l'autre nous n'avions cherché à être exposés ainsi et cela ne manquait pas d'être perturbant. Entendre un enregistrement de sa propre voix est déjà étrange, alors se voir ainsi sur grand écran est franchement troublant ! Il est toujours difficile de faire un bon film à partir d'un livre à succès, mais j'avais l'impression qu'ils avaient réussi. Bien sûr, j'en laisse juges les lecteurs et les spectateurs. Ce que nous avons vécu avec Simon, et que j'ai revécu avec tant d'intensité, nous mettra toujours au-delà de toute représentation, qu'elle soit sur le papier ou la pellicule.

Aussi étrange que cela puisse paraître, le traumatisme physique et psychique que j'ai connu en 1985 au Pérou n'a pas bouleversé ma vie. La véritable transformation, du moins sur un plan matériel, je la dois au succès de *La Mort suspendue*, qui m'a propulsé dans une carrière d'écrivain et de conférencier. Et ce film apportera certainement d'autres changements et de nouveaux défis.

Je me suis souvent demandé quelle tournure aurait pris mon existence si nous n'avions pas eu cet accident au Siula Grande. Une petite voix me souffle que je me serais lancé dans des ascensions toujours plus difficiles, que j'aurais pris des risques de plus en plus grands. Si je songe à tous ces amis disparus en montagne, puis-je affirmer que je serais encore en vie ? À l'époque j'étais un alpiniste sans le sou, borné, anarchiste, caustique et ambitieux. Cet accident m'a ouvert les portes d'un univers qui m'était complètement étranger. Jamais je ne me serais découvert des talents d'écrivain et de conférencier. Même si j'ai beaucoup travaillé pour réussir, je me demande parfois si je n'ai pas tout simplement eu de la chance.

Au Pérou, nous sommes allés très loin dans la prise de risques. Pourtant, malgré la souffrance et le traumatisme, il me semble maintenant que le prix à payer était relativement léger pour une aventure d'une telle richesse. Quelle merveilleuse illusionniste que la mémoire ! Le fait d'avoir pratiquement tout perdu au Siula Grande m'a donné des ailes, exactement comme une victoire. Depuis, j'ai l'impression d'avoir été entraîné dans une période faste dont la durée m'inquiète. Où tout cela me mènera-t-il ?

Il fait beau, à Sheffield, et le soleil brille. Je me suis lancé dans l'écriture de mon septième livre, un roman. J'essaie de ne pas me laisser distraire à l'idée des vacances toutes proches : un séjour de pêche à la mouche en Irlande suivi d'une quatrième tentative en face nord de l'Eiger. L'automne, lui, s'annonce chargé, avec un programme de conférences et la promotion du film. Cette lutte pour la vie au Siula Grande il y a dix-sept ans semble m'avoir transformé en un brillant homme d'affaires. Bizarre, tout de même...

La vie vous met parfois un drôle de jeu entre les mains. Faut-il jouer serré, bluffer à mort ou tout miser d'un coup ? Je ne le saurai jamais.

Remerciements

Lorsque je me suis lancé dans l'aventure de l'écriture, j'ai senti que je m'attaquais à forte partie, et sans les encouragements de mes amis et de mes proches, je n'aurais sans doute jamais commencé ce livre, en tout cas je ne serais pas allé jusqu'au bout.

En dehors de tout ce que je dois déjà à Simon, je tiens à lui exprimer toute ma gratitude pour la sincérité de son récit, et pour m'avoir permis de transcrire à ma façon ce qu'il avait ressenti.

Je dois ensuite remercier Jim Perrin qui, le premier, m'a conseillé d'écrire, et Geoff Birtle, qui a publié mes articles dans son magazine *High*. Tony Colwell, également, de la maison d'édition Jonathan Cape ; sans son aide, ses conseils et son intime conviction que mon récit pouvait faire l'objet d'un livre, celui-ci n'aurait sans doute pas vu le jour. Je dois aussi beaucoup à Jon Stevenson, qui m'a poussé à continuer.

Merci à Tom Richardson pour les croquis, à Ian Smith qui m'a donné un coup de main pour choisir les photos, à Bernard Newman de *Mountain* pour avoir récupéré mes diapositives, dispersées dans les rédactions d'autres journaux. Enfin, je tiens à signaler que sans le support financier des Porchester Group Insurance Services, et de Gary Deaves en particulier,

Simon et moi n'aurions jamais pu partir pour le Pérou.

Mais c'est avant tout à mes parents que va toute ma reconnaissance. Non seulement ils m'ont encouragé à écrire, mais ils ont fait preuve à mon égard d'une infinie patience pendant toute ma guérison, et surtout ils ont accepté sans broncher ma décision de continuer à faire de la montagne.

Impression réalisée sur CAMERON par

La Flèche

pour le compte des Éditions GLENAT
en octobre 2008

Imprimé en France
Dépôt légal : mars 2006
N° d'impression : 49473